MOI, JE PARLE FRANÇAIS !

2e édition revue et corrigée

NIVEAU 3

ANNE-MARIE
CONNOLLY

Guérin Montréal Toronto

4501, rue Drolet
Montréal (Québec) H2T 2G2 Canada
Téléphone: (514) 842-3481
Télécopieur: (514) 842-4923
Courrier électronique: francel@guerin-editeur.qc.ca
Site Internet: http://www.guerin-editeur.qc.ca

2e édition
Revue et corrigée

© Guérin, éditeur ltée, 2002

Dépôt légal

ISBN 2-7601-6145-5

Bibliothèque nationale du Québec, 2002
Bibliothèque nationale du Canada, 2002

IMPRIMÉ AU CANADA

Révision linguistique Marie-Claude Piquion
Illustrations Toan

Nous reconnaissons l'aide financière du gouvernement du Canada par l'entremise du Programme
d'Aide au Développement de l'Industrie de l'Édition (PADIÉ) pour nos activités d'édition.
Canadä

INTRODUCTION

Cette série de cinq cahiers d'exercices vient compléter de façon graduelle, systématique et amusante l'apprentissage du français oral. L'objectif général est d'apprendre à écrire et à lire ce qu'on est capable de dire.

Les cinq cahiers correspondent aux cinq premiers niveaux, de 90 heures chacun, que l'on adopte généralement dans les cours. Ils reprennent les objectifs spécifiques de l'apprentissage du français oral, tels qu'ils sont formulés dans la plupart des méthodes audiovisuelles.

Le contenu de chaque leçon est toujours présenté en situation, dans des phrases types, qui permettent de repérer les structures de la langue et d'en dégager le fonctionnement de façon intuitive. Suivent différents modèles d'exercices: exercices en images, exercices structuraux, exercices d'expression dirigée. Le corrigé de tous ces exercices se trouve à la fin du cahier, ce qui permet de favoriser l'individualisation de l'apprentissage. Une cassette audio d'exercices oraux d'une durée de soixante minutes vient compléter la pratique de l'écrit. Le contenu de ces exercices oraux est transcrit intégralement à la fin de chaque leçon.

À la suite des vingt leçons que comporte chacun de ces cahiers, figure un ensemble d'exercices de révision qui reprennent, sous différentes formes, les notions acquises. Aucun corrigé n'étant proposé, ces exercices pourront servir de tests ou d'examens dans la salle de classe.

Ainsi conçu, *Moi, je parle français* représente un outil efficace et agréable pour faciliter l'acquisition du français langue seconde.

OBJECTIFS DU NIVEAU 3

Leçon 1
- Les verbes du 3e groupe au présent de l'indicatif et de l'impératif, au futur proche et au passé composé:
  attendre, entendre, mordre, servir, recevoir, etc.

- Les comparatifs des adjectifs et des adverbes.

Leçon 2
- La phrase complexe dont la subordonnée est introduite par un mot interrogatif:
  qui, comment, quel(le), où, combien, quand, pourquoi.

Leçon 3
- Les pronoms et adjectifs indéfinis:
  quelque chose, quelqu'un, personne, rien, tout, plusieurs, quelques-uns, quelques-unes.

Leçon 4
- Les pronoms interrogatifs précédés d'une préposition:
  de qui, de quoi, à qui, à quoi, avec qui, avec quoi, pour qui, pour quoi, dans quoi, chez qui, devant qui, d'où, etc.

Leçon 5
- L'action qui dure avec l'expression *être en train de*.

Leçon 6
- Le passé récent avec le verbe *venir de*.

Leçon 7
- La phrase complexe dont la subordonnée est introduite par *ce que* ou par *si*.

Leçon 8
- Le futur.

Leçon 9
- L'imparfait des verbes *avoir* et *être*.

Leçon 10
- La proposition conditionnelle au présent introduite par *si*.

Leçon 11
- L'expression *Il faut* suivie d'un verbe à l'infinitif.

Leçon 12
- Les prépositions qui introduisent un verbe à l'infinitif:
  à, de, pour, avant de.

Leçon 13
- Le subjonctif présent des verbes du 1er groupe et des verbes *être, avoir, aller, faire, savoir* après *Il faut que* et *vouloir que*.

Leçon 14
- Les comparatifs des noms et des verbes:
  plus (de)... que (de), autant (de)... que (de), moins (de)... que (de).

Leçon 15
- Les adjectifs suivis d'un infinitif introduit par *de* ou par *à*.

- Le verbe *avoir* suivi d'un nom et d'un infinitif introduit par *à*.

Leçon 16
- Le subjonctif présent des verbes des 2e et 3e groupes après *il faut que* et *vouloir que*.

Leçon 17
- L'imparfait des verbes des 1er, 2e et 3e groupes.

Leçon 18
- Les pronoms relatifs *qui* et *que*.

Leçon 19
- La phrase complexe dont la subordonnée est introduite par *ce que* ou par *ce qui*.

Leçon 20
- Les pronoms personnels *le, en, y* qui remplacent une subordonnée.

Parlez fort!
J'entends mal...

Les verbes du 3ᵉ groupe

attendre	mentir	devoir
descendre	partir	pouvoir
entendre	sentir	recevoir
mordre	servir	savoir
perdre	sortir	voir
rendre		vouloir
vendre		

E X E R C I C E **1**

Exemple: descendre

Il descend les pentes de ski.

1. servir

2. rendre

3. recevoir

Les verbes

rendre	**servir**	**recevoir**
je rends	je sers	je reçois
tu rends	tu sers	tu reçois
il/elle rend	il/elle sert	il/elle reçoit
nous rendons	nous servons	nous recevons
vous rendez	vous servez	vous recevez
ils/elles rendent	ils/elles servent	ils/elles reçoivent

EXERCICE 2

Exemple: Son chien **mord** encore les voisins?
– *Non, il ne les mord plus.*

1. Tu **entends** encore la musique?

   _____

2. Tu **reçois** encore ta famille pour Noël?

   _____

3. Vous **vendez** encore votre auto?

   _____

4. Vous **attendez** encore sa réponse?

   _____

5. Il **sort** encore avec ta sœur?

   _____

EXERCICE 3

Exemple: Est-ce que tu **vends** ta maison cette année?
– *Non, je vais la vendre l'année prochaine.*

1. Est-ce que vous **recevez** vos amis ce soir?

   _____ samedi.

2. Est-ce que nous **rendons** l'auto à midi?

   _____ ce soir.

3. Est-ce qu'il **descend** au village aujourd'hui?

   _____ demain.

4. Est-ce que vous **servez** le café tout de suite?

   _____ plus tard.

5. Est-ce que je **descends** les valises maintenant?

   _____ après le dîner.

E X E R C I C E 4

Exemple: (perdre) J' | **ai** | **perdu** | mon parapluie hier.

1. (rendre) Elles [ ] [ ] les clés au concierge.
2. (mordre) Il [ ] [ ] sa sœur ce matin.
3. (attendre) Nous [ ] [ ] son retour.
4. (mentir) Elle [ ] [ ] à sa mère.
5. (perdre) Vous [ ] [ ] vos valises.
6. (recevoir) Tu [ ] [ ] une lettre de Jacques.

Le participe passé

(attendre)	attendu	(mentir)	menti	(recevoir)	reçu
(descendre)	descendu	(partir)	parti	(devoir)	dû
(entendre)	entendu	(sentir)	senti	(pouvoir)	pu
(mordre)	mordu	(servir)	servi	(savoir)	su
(perdre)	perdu	(sortir)	sorti	(voir)	vu
(rendre)	rendu			(vouloir)	voulu
(vendre)	vendu				

E X E R C I C E 5

Exemple: Est-ce que tu as reçu la lettre du directeur ?
– *Oui, je l' ai reçue.*

1. Est-ce que le chien a mordu **les enfants**?

   _____

2. Est-ce que vous avez entendu **les oiseaux**?

   _____

3. Est-ce que tu as sorti **la poubelle**?

   _____

4. Est-ce qu'elle a attendu **ses amies**?

   _____

5. Est-ce que vous avez descendu **les valises**?

   _____

6. Est-ce que nous avons reçu **nos billets d'avion**?

   _____

La comparaison

plus... que   aussi... que   moins... que

Guy est gros.   Guy est {
plus gros que Paul.
aussi gros que Gilles.
moins gros que Normand.

meilleur(e)... que

Le café est bon.   Le café est {
meilleur que le thé.
aussi bon que le chocolat.
moins bon que le lait.

pire... que

La cigarette est mauvaise.   La cigarette est {
pire que l'alcool.
aussi mauvaise que la pipe.
moins mauvaise que le cigare.

EXERCICE 6

Exemple

Niveau 3

EXERCICE 7

Exemple: Ton chien est $\boxed{\text{plus}}$ méchant $\boxed{\text{que}}$ ton chat.

Ton chat est $\boxed{\text{plus}}$ gentil $\boxed{\text{que}}$ ton chien.

1. Mon fils est plus petit que ma fille.

_____

2. Ma tante est plus vieille que ma mère.

_____

3. Sa sœur est plus maigre que lui.

_____

4. Nos voisins sont plus riches que nous.

_____

5. Les lacs sont plus chauds que l'océan.

_____

EXERCICE 8

Exemple: Le café n'est pas $\boxed{\text{aussi}}$ bon $\boxed{\text{que}}$ le gâteau.

Le gâteau est $\boxed{\text{meilleur}}$ $\boxed{\text{que}}$ le café.

1. La viande n'est pas aussi bonne que le poisson.

_____

2. Les bonbons ne sont pas aussi bons que les fruits.

_____

3. La bière n'est pas aussi bonne que le lait.

_____

La comparaison

mieux... que

Elle nage bien.   Elle nage $\left\{\begin{array}{l}\text{mieux que son frère.}\\\text{aussi bien que moi.}\\\text{moins bien que toi.}\end{array}\right.$

plus mal... que

Il danse mal.   Il danse $\left\{\begin{array}{l}\text{plus mal que sa femme.}\\\text{aussi mal que sa sœur.}\\\text{moins mal que toi.}\end{array}\right.$

E X E R C I C E 9

Exemples: Est-ce qu'il nage aussi bien que son frère?
— *Non, il nage* **mieux** **que** *son frère.*
— *Non, il nage* **moins** **bien** **que** *son frère.*

Est-ce qu'il écrit aussi mal que moi?
— *Non, il écrit* **plus** **mal** **que** *toi.*
— *Non, il écrit* **moins** **mal** **que** *toi.*

1. Est-ce que je chante aussi mal que lui?

_____

_____

2. Est-ce qu'elle travaille aussi bien que toi?

_____

_____

3. Est-ce qu'il parle français aussi bien que sa femme?

_____

_____

4. Est-ce que tu skies aussi mal que moi?

_____

_____

5. Est-ce qu'il joue du piano aussi bien qu'elle?

_____

_____

6. Est-ce que tu danses aussi mal que ton ami?

_____

_____

Prenez votre cassette. NIVEAU 3

É C O U T E Z   E T   R É P É T E Z.

1. Montréal est une grande ville, mais elle est moins grande que Paris.

2. Les appartements sont plus chers à Paris et ils sont plus petits.

3. En hiver, il fait moins froid à Paris et il y a moins de neige.

4. Trouvez-vous qu'on mange mieux à Paris qu'à Montréal?

5. Oui, je trouve que la cuisine française est meilleure.

É C O U T E Z   E T   R É P O N D E Z.

1. Est-ce que Paris est aussi grand que Montréal?
   – Non, Paris est plus grand que Montréal.

2. Est-ce que la vie est aussi chère à Paris qu'à Montréal?
   – Non, la vie est plus chère à Paris.

3. Est-ce que les appartements sont aussi grands à Paris?
   – Non, les appartements sont plus petits à Paris.

4. Est-ce qu'en hiver le temps est aussi froid à Paris?
   – Non, en hiver, le temps est moins froid à Paris.

5. Est-ce que la cuisine est aussi bonne en France?
   – Non, la cuisine est meilleure en France.

É C O U T E Z   E T   R É P O N D E Z.

1. Pedro ne parle pas bien français. Et sa sœur?
   – Sa sœur parle mieux que lui.

2. Jacques ne joue pas très bien au hockey. Et Bernard?
   – Bernard joue mieux que lui.

3. Le café n'est pas bon dans ce restaurant. Et les desserts?
   – Les desserts sont meilleurs que le café.

4. Ses notes en français ne sont pas bonnes. Et ses notes en histoire?
   – Ses notes en histoire sont meilleures que ses notes en français.

Il veut savoir...

Il veut savoir quelle profession nous avons!

Il veut savoir qui... comment... où... combien... quand... quel(le)...

– «Qui êtes-vous?»

– «Comment vous appelez-vous?»

– «Quelle profession avez-vous?»

– «Où demeurez-vous?» ⟶ Il veut savoir

– «Pourquoi travaillez-vous la nuit?»

– «Combien avez-vous d'enfants?»

– «Quand allez-vous partir?»

qui nous sommes.

comment nous nous appelons.

quelle profession nous avons.

où nous demeurons.

pourquoi nous travaillons la nuit.

combien d'enfants nous avons.

quand nous allons partir.

Il se demande pourquoi...

– «Pourquoi travaillent-ils la nuit?» ⟶

Je veux savoir

Je me demande

Je ne comprends pas

Il me demande

Sais-tu

Savez-vous

Dis-moi

Demande-lui

pourquoi ils travaillent la nuit.

EXERCICE 1

Combien de chiens a-t-il?

Exemple: *Il veut savoir combien de chiens il a.*

Combien d'amies a-t-il?

1. _____

_____

Combien de chats ont-elles?

2. _____

_____

Combien de parapluies ont-ils?

3. _____

_____

EXERCICE 2

Exemple: (être triste)
«***Pourquoi** es-tu triste?»*
*Il ne comprend pas **pourquoi** tu es triste.*

1. (apprendre le français)

_____

_____

2. (avoir peur des chiens)

_____

_____

3. (ne pas avoir d'amis)

_____

_____

E X E R C I C E **3**

Exemple: *Il se demande pourquoi il est décoré.*

1. _____
_____

2. _____
_____

3. _____
_____

E X E R C I C E **4**

Exemple: «**Qui** attendez-vous?»

Il vous demande ***qui*** *vous attendez.*

1. *«Qui préfères-tu?»*

Elle te demande _____

2. *«Qui aimez-vous?»*

Il vous demande _____

3. *«Qui va-t-il épouser?»*

Je vous demande_____

4. *«Qui as-tu vu?»*

Elle te demande _____

E X E R C I C E 5

Exemple: **Comment** coupe-t-on le bois?
*Sais-tu **comment** on coupe le bois?*
– On coupe le bois avec une hache.

1. Comment joue-t-on au tennis?

   _____

   _____

2. Comment peut-on aller au Japon?

   _____

   _____

3. Comment fait-on les gâteaux?

   _____

   _____

E X E R C I C E 6

Exemple: *Demande-lui **quand** elle est sortie de l'hôpital.*
«**Quand** es-tu sortie de l'hôpital?»

1. _____

   «Quand êtes-vous allées au Mexique?»

2. _____

   «Où es-tu tombé?»

3. _____

   «Comment es-tu entrée?»

4. _____

   «Pourquoi êtes-vous restées à la maison?»

5. _____

   «Où êtes-vous partis en vacances?»

E X E R C I C E 7

Exemple: **Quelles** langues parles-tu?
*Dis-moi **quelles** langues tu parles.*

1. Pourquoi pleure-t-il?

   _____

2. Où allez-vous?

   _____

3. Comment faut-il faire pour réussir?

   _____

Prenez votre cassette. NIVEAU 3

ÉCOUTEZ ET RÉPÉTEZ.

1. Petit Paul se demande quand la tempête va cesser.
2. Il ne comprend pas pourquoi il ne peut pas jouer dehors.
3. Il veut savoir quand il va retrouver ses amis.

ÉCOUTEZ ET REPRENEZ.

1. Qui êtes-vous?
   Je veux savoir qui vous êtes.
2. Comment vous appelez-vous?
   Je veux savoir comment vous vous appelez.
3. Où demeurez-vous?
   Je veux savoir où vous demeurez.
4. Quel âge avez-vous?
   Je veux savoir quel âge vous avez.
5. Combien d'argent gagnez-vous par année?
   Je veux savoir combien d'argent vous gagnez par année.
6. Quand êtes-vous arrivé ici?
   Je veux savoir quand vous êtes arrivé ici.

ÉCOUTEZ ET REPRENEZ.

1. Demande-lui quand elle est sortie de l'hôpital.
   Quand es-tu sortie de l'hôpital?
2. Demande-lui comment il est entré dans le garage.
   Comment es-tu entré dans le garage?
3. Demande-leur pourquoi ils sont restés à la maison.
   Pourquoi êtes-vous restés à la maison?
4. Demande-leur où ils sont partis en vacances.
   Où êtes-vous partis en vacances?

Personne ne m'aime!

---

personne   **rien**

Est-ce qu'il attend quelque chose?   →   Non, il n'attend rien.
Est-ce qu'il attend quelqu'un?   →   Non, il n'attend personne.

Quelque chose l'intéresse?   →   Non, rien ne l'intéresse.
Quelqu'un l'intéresse?   →   Non, personne ne l'intéresse.

---

tout   **toute**   **tous**   **toutes**

Tout   le monde   } l'a abandonné.
Toute   sa famille

Tous   ses amis   } l'ont abandonné.
Toutes   ses amies

---

plusieurs   **quelques-uns**   **quelques-unes**

Il a des amis?   →   { – Oui, il en a plusieurs.
                     { – Oui, il en a quelques-uns.

Tous ses amis sont partis?   →   – Non, seulement quelques-uns.
Toutes ses amies sont parties?   →   – Non, seulement quelques-unes.

E X E R C I C E 1

Exemple: Est-ce que tu attends **quelqu'un**?

– *Non, je* $\boxed{n'}$ *attends* $\boxed{\textbf{\textit{personne}}}$.

1. Est-ce que vous avez vu quelqu'un?

_____

2. Est-ce qu'il a invité quelqu'un?

_____

3. Est-ce qu'elle cherche quelqu'un?

_____

E X E R C I C E 2

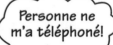

Personne ne m'a téléphoné!

Exemple: **Quelqu'un** t'a téléphoné?

– *Non,* $\boxed{\textbf{\textit{personne}}}$ $\boxed{\textbf{\textit{ne}}}$ *m'a téléphoné.*

1. Quelqu'un t'a vu?

_____

2. Quelqu'un vous a dit de ne pas fumer?

_____

3. Quelqu'un peut me répondre?

_____

E X E R C I C E 3

Elle ne m'a rien donné!

Exemple: Est-ce qu'elle lui a donné **quelque chose**?

– *Non, elle* $\boxed{\textbf{\textit{ne}}}$ *lui a* $\boxed{\textbf{\textit{rien}}}$ *donné.*

1. Est-ce que tu as acheté quelque chose?

_____

2. Est-ce qu'ils ont vu quelque chose?

_____

3. Est-ce qu'il t'a dit quelque chose?

_____

EXERCICE 4

Exemple: Est-ce que vous avez **tout** apporté?

– *Non, nous* n' *avons* rien *apporté.*

1. Est-ce qu'ils ont tout préparé?

_____

2. Est-ce qu'il a tout mangé?

_____

3. Est-ce qu'elle a tout vendu?

_____

EXERCICE 5

Exemple: Il a mangé

tout	le pain.
tous	les fruits.
toute	la viande.
toutes	les tomates.

1. J'ai arrosé _____ les fleurs.
2. Ils ont invité _____ leurs amis.
3. J'ai traversé _____ le pays.
4. Tu as fumé _____ mes cigarettes.
5. Elle a embrassé _____ les enfants.
6. Vous avez bu _____ la bière.
7. Nous avons réussi _____ nos examens.
8. Il a fait _____ le ménage.

EXERCICE 6

Exemple: Est-ce qu'il y a **des places libres**?

– *Oui, il y* en *a* plusieurs .

Est-ce que tu as vu **des places libres**?

– *Oui, j'* en *ai vu* plusieurs .

1. Est-ce qu'il y a des arbres derrière la maison?

_____

2. Est-ce que tu as invité des amis?

_____

3. Est-ce qu'il y a des magasins ouverts?

_____

4. Est-ce qu'ils ont des enfants?

_____

5. Est-ce que vous avez fait des gâteaux?

_____

EXERCICE 7

Exemple:

A-t-il chanté des chansons?

– *Oui, il en a chanté quelques-unes.*

1. A-t-il lavé des assiettes?

2. A-t-elle raconté des histoires?

3. A-t-il bu un verre?

EXERCICE 8

Exemple: Est-ce que **tous tes amis** sont venus?

– *Non, seulement* **quelques-uns** *sont venus.*

1. Est-ce que toutes les fenêtres sont ouvertes?

2. Est-ce que toutes tes cousines sont mariées?

3. Est-ce que tous les chiens sont méchants?

Prenez votre cassette.

É C O U T E Z   E T   R É P É T E Z.

1. Bernard est très triste.

2. Il pense que personne ne l'aime.

3. Il ne comprend pas pourquoi tous ses amis l'ont abandonné.

4. Il n'attend rien et rien ne l'intéresse.

É C O U T E Z   E T   R É P O N D E Z.

1. Est-ce que tu attends quelqu'un?
   – Non, je n'attends personne.

2. Est-ce que vous avez vu quelqu'un?
   – Non, nous n'avons vu personne.

3. Est-ce que vous avez vu quelque chose?
   – Non, nous n'avons rien vu.

4. Est-ce qu'il t'a dit quelque chose?
   – Non, il ne m'a rien dit.

É C O U T E Z   E T   R É P O N D E Z.

1. As-tu les journaux?
   – Oui, j'en ai lu quelques-uns.

2. As-tu acheté des disques?
   – Oui, j'en ai acheté quelques-uns.

3. As-tu reçu des lettres?
   – Oui, j'en ai reçu quelques-unes.

4. As-tu fumé mes cigarettes?
   – Oui, j'en ai fumé quelques-unes.

É C O U T E Z   E T   R É P O N D E Z.

1. Est-ce qu'il y a des places libres?
   – Oui, il y en a plusieurs.

2. Est-ce qu'ils ont des enfants?
   – Oui, ils en ont plusieurs.

3. Est-ce qu'il y a des arbres derrière la maison?
   – Oui, il y en a plusieurs.

4. Est-ce que vous avez invité des amis?
   – Oui, nous en avons invité plusieurs.

De quoi avez-vous peur?

De qui... /De quoi....   **À qui... /À quoi...**

De qui
De quoi } avez-vous peur? → J'ai peur } des voleurs.
des souris.

À qui
À quoi } rêve-t-il? → Il rêve } à Julie.
à ses vacances.

Avec... Pour... Dans... Chez... À côté de... Devant... Derrière...

Avec qui	Dans quoi	Devant qui
Avec quoi	Chez qui	Devant quoi
Pour qui	À côté de qui	Derrière qui
Pour quoi	À côté de quoi	Derrière quoi

D'où...

D'où viens-tu? → Je viens { de la campagne.
de Vancouver.
du Portugal.

E X E R C I C E 1

Exemple: *Derrière quoi sont-ils cachés?*

    – Ils sont cachés derrière le rideau.

1. _____

    – Elle va chez ses amis.

2. _____

    – Il écrit à sa mère.

3. _____

    – Elle danse avec Guy.

4. _____

    – Il jette les papiers dans la corbeille.

5. _____

    – Il a besoin de vacances.

EXERCICE 2

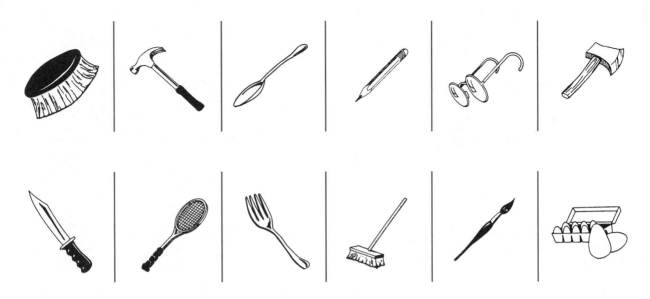

Exemple: (jouer au tennis)   *Dis-moi* **avec quoi** *on joue au tennis.*
– On joue au tennis avec une raquette.

1. (couper le bois) _____

_____

2. (laver le chien) _____

_____

3. (faire les gâteaux) _____

_____

4. (manger la viande) _____

_____

5. (écrire son nom) _____

_____

6. (faire le ménage) _____

_____

7. (réparer les meubles) _____

_____

8. (faire de la peinture) _____

_____

9. (manger la soupe) _____

_____

10. (lire le journal) _____

_____

11. (couper le poulet) _____

_____

EXERCICE 3

Exemples : Demande-lui $\boxed{\text{à qui}}$ il rêve.   Demande-lui $\boxed{\text{à quoi}}$ il rêve.

                $\boxed{\text{À qui}}$ rêves-tu? $\boxed{\text{À quoi}}$ rêves-tu?

                – Je rêve à Julie.   – Je rêve à mes vacances.

1. _____

   – Je vais au cinéma avec ma fille.

2. _____

   – Je suis assise à côté de Jean.

3. _____

   – Je parle de mon travail.

4. _____

   – J'ai mis l'argent dans ma poche.

5. _____

   – Je viens du Mexique.

6. _____

   – Je travaille pour mon oncle.

7. _____

   – Je téléphone à la police.

8. _____

   – J'habite chez ma sœur.

Prenez votre cassette.

ÉCOUTEZ ET RÉPÉTEZ.

1. Gilles et Marc demeurent à Québec chez leur grand frère.
2. Ils viennent de Gaspésie.
3. Ils travaillent tous les deux pour leur oncle dans une épicerie.
4. Le gérant est sévère et ils ont peur de lui.

ÉCOUTEZ ET RÉPONDEZ.

1. Avec qui Gilles demeure-t-il à Québec?
   – Il demeure avec son frère Marc.
2. D'où viennent-ils?
   – Ils viennent de Gaspésie.
3. Chez qui demeurent-ils?
   – Ils demeurent chez leur grand frère.
4. Pour qui travaillent-ils?
   – Ils travaillent pour leur oncle.
5. De qui ont-ils peur?
   – Ils ont peur du gérant.

ÉCOUTEZ ET REPRENEZ.

1. Demandez-lui chez qui il demeure.
   Chez qui demeures-tu?
2. Demande-lui d'où il vient.
   D'où viens-tu?
3. Demande-leur à quoi elles pensent.
   À quoi pensez-vous?
4. Demande-leur pour qui elles travaillent.
   Pour qui travaillez-vous?
5. Demande-lui à qui elle parle.
   À qui parles-tu?

Qu'est-ce qu'ils sont en train de faire?

L'orateur est en train de dormir?

– Non, il est en train de parler.

Ils sont en train d'écouter l'orateur?

– Non, ils sont en train de dormir.

Qu'est-ce qu'ils sont en train de faire?

Qu'est-ce que
- tu es en train de faire? ⟶ Je suis en train de dormir.
- vous êtes en train de faire? ⟶ Nous sommes en train de parler.
- je suis en train de faire? ⟶ Tu es en train d'écrire.

Qu'est-ce qu'
- il est en train de faire? ⟶ Il est en train d'étudier.
- elle est en train de faire? ⟶ Elle est en train de jardiner.
- ils sont en train de faire? ⟶ Ils sont en train de jouer.

être en train de...

être en train de manger

être en train de danser

être en train de rire

être en train d'apprendre

être en train d'écrire

être en train d'étudier

Moi, je parle français!

EXERCICE 1

Qu'est-ce qu'ils sont en train de faire?

Exemple:
Elle est en train de tricoter.

1. _____

2. _____

3. _____

4. _____

5. _____

EXERCICE 2

Exemple:

Nous	sommes	en train de	regarder	la télévision.
1. Elle				le ménage.
2. Tu				tes leçons.
3. Ils				le souper.
4. Elles				la radio.
5. Nous				du ski.
6. Il				la pipe.
7. Vous				au tennis.
8. Je				ma douche.

EXERCICE 3

Exemple: As-tu écrit à tes parents?

     – *Non, je suis* en train de *leur écrire.*

1. Avez-vous bu votre café?

2. A-t-il téléphoné à sa sœur?

3. As-tu appris tes leçons?

4. Avez-vous rangé votre chambre?

5. Ont-ils fini leur travail?

6. A-t-elle pris sa douche?

EXERCICE 4

Exemple: (ne – voir – est – pas – tu – dormir – en train de – peux – parce qu' – le – il)

     Tu ne peux pas le voir parce qu'il est en train de dormir.

1. (pas – bruit – parce qu' – travailler – ne – elle – faites – est – en train de – de)

2. (il – lui – en train de – demande – à – téléphoner – est – qui)

3. (rire – ils – sais – pourquoi – je – en train de – ne – sont – pas)

EXERCICE 5

Exemple:

Non, il est en train de faire le ménage.

1. _____

2. _____

_____

3. _____

_____

4. _____

_____

5. _____

_____

Niveau 3

Prenez votre cassette.

É C O U T E Z   E T   R É P É T E Z.

1. Paul ne peut pas vous recevoir, il est en train de dormir.
2. Pierre ne peut pas regarder la télévision, il est en train de faire la vaisselle.
3. Marie ne peut pas répondre au téléphone, elle est en train de prendre sa douche.
4. Les enfants ne peuvent pas jouer dehors, ils sont en train de faire leurs devoirs.

É C O U T E Z   E T   R É P O N D E Z.

1. As-tu écrit à Guy la semaine dernière?
   – Non, mais je suis en train de lui écrire.
2. As-tu fini ton travail?
   – Non, mais je suis en train de le finir.
3. Avez-vous bu votre café?
   – Non, mais nous sommes en train de le boire.
4. As-tu fait le ménage de ta chambre?
   – Non, mais je suis en train de le faire.
5. A-t-il fait les courses avant d'aller au bureau?
   – Non, mais il est en train de les faire.

É C O U T E Z   E T   R E P R E N E Z.

1. Demande-lui pourquoi il est en train de pleurer.
   Pourquoi es-tu en train de pleurer?
2. Demande-lui à qui elle est en train de téléphoner.
   À qui es-tu en train de téléphoner?
3. Demande-lui quel film il est en train de regarder.
   Quel film es-tu en train de regarder?
4. Demande-leur de quoi ils sont en train de parler.
   De quoi êtes-vous en train de parler?

Trop tard!
Il vient de partir.

Dépêchons-nous!
Le train va partir.

Trop tard!
Le train vient de partir.

venir (juste) de...

Il y a longtemps que	tu es parti? / vous êtes partis?	→ Non,	je viens / nous venons	(juste) de partir.
Il y a longtemps qu'	il est parti? / elle est partie? / ils sont partis?	→ Non,	il vient / elle vient / ils viennent	(juste) de partir.

EXERCICE 1

Qu'est-ce qu'il vient de se passer?

Exemple: *Il vient de se faire arrêter.*

1. _____

2. _____

3. _____

4. _____

5. _____

EXERCICE 2

Exemple: Il y a longtemps qu'*il est arrivé?*
– *Non, il* |*vient juste*| *d'arriver.*

1. _____ le chien l'a mordu?

   _____

2. _____ tu as rendu ton travail?

   _____

3. _____ vous êtes parties?

   _____

4. _____ ils ont vendu leur maison?

   _____

5. _____ elle a reçu cette lettre?

   _____

6. _____ tu as mis ton manteau?

   _____

EXERCICE 3

Exemple: Tu ne peux pas voir Marie parce qu'*elle* |*vient juste de*| *sortir.*

1. Je ne pense pas qu'elle va avoir faim parce qu(e) _____

   _____

2. Vous ne pouvez pas parler au directeur parce qu(e)_____

   _____

3. Je ne peux pas te dire comment le film a commencé parce qu(e)_____

   _____

4. Les enfants ne peuvent pas jouer dehors parce qu(e) _____

   _____

EXERCICE 4

Exemples: Je |*vais*| m'acheter une voiture: j'ai beaucoup d'argent.

Je |*viens de*| m'acheter une voiture: je n'ai plus d'argent.

1. Dépêchez-vous! l'avion [   ] partir.
2. Il [   ] faire le gâteau; il est encore chaud.
3. Vous êtes fatigués parce que vous [   ] courir.
4. Penses-tu qu'elle [   ] venir avec moi?
5. Tu [   ] pleurer? Tu as les yeux rouges.
6. Ils [   ] se lever; ils ne sont pas encore habillés.

Prenez votre cassette.

NIVEAU 3

ÉCOUTEZ ET RÉPÉTEZ.

1. Vous ne pouvez pas parler au directeur parce qu'il vient juste de partir.
2. Julie vient de recevoir beaucoup d'argent, elle va pouvoir s'acheter une voiture.
3. Luc a les yeux rouges, je crois qu'il vient de pleurer.
4. Marie ne peut pas aller travailler, elle vient de tomber malade.

ÉCOUTEZ ET RÉPONDEZ.

1. Il y a longtemps que le train est parti?
   – Non, il vient juste de partir.
2. Il y a longtemps que Julie a téléphoné?
   – Non, elle vient juste de téléphoner.
3. Il y a longtemps que ton père s'est couché?
   – Non, il vient juste de se coucher.
4. Il y a longtemps que tu es arrivé?
   – Non, je viens juste d'arriver.
5. Il y a longtemps qu'il a plu?
   – Non, il vient juste de pleuvoir.

ÉCOUTEZ ET RÉPONDEZ.

1. Tu as vu le médecin?
   – Oui, je viens de le voir.
2. Tu as payé ton loyer?
   – Oui, je viens de le payer.
3. Vous avez reçu sa lettre?
   – Oui, nous venons de la recevoir.
4. Ils ont vendu leur maison?
   – Oui, ils viennent de la vendre.
5. Tu es allée chez le coiffeur?
   – Oui, je viens d'y aller.

Il me demande si c'est bon!

Il me demande ce que...

Qu'est-ce que	tu fais? vous regardez? je vais dire?	→	Je te demande	ce que	tu fais. vous regardez. je vais dire.
Qu'est-ce qu'	il a acheté? elle vient de dire? on va boire?			ce qu'	il a acheté. elle vient de dire. on va boire.

Il me demande si...

Est-ce que	tu m'écoutes? vous partez? je dois maigrir?	→	Je te demande	si	tu m'écoutes. vous partez. je dois maigrir.
Est-ce qu'	elle dort? on a fini? il danse?			si si s'	elle dort. on a fini. il danse.

EXERCICE 1

Exemple: *Il lui demande ce qu'elle prépare.*

1. _____

2. _____

3. _____

4. _____

5. _____

EXERCICE 2

Exemple: « Qu'est-ce que tu as préparé pour le souper?»

Je te demande ce que tu as préparé pour le souper.

1. «Qu'est-ce que tu as écrit sur cette feuille?»

_____

2. «Qu'est-ce qu'il a acheté à sa femme?»

_____

3. «Qu'est-ce qu'elle a dit aux enfants?»

_____

EXERCICE 3

Exemples: Qu'est-ce que je peux prendre?

– Prends ce que tu veux!

1. Qu'est-ce que nous pouvons faire?

_____

2. Qu'est-ce que je peux manger?

_____

3. Qu'est-ce que nous pouvons apporter?

_____

EXERCICE 4

Exemples: Demande-lui ce qu' il va acheter.

« *Qu'est-ce que tu vas acheter?*»

Demande-lui s' il a acheté quelque chose.

« *Est-ce que tu as acheté quelque chose?*»

1. Demande-lui si elle aime jouer au tennis.

_____

2. Demande-leur s'ils veulent manger quelque chose.

_____

3. Demande-leur ce qu'ils veulent manger.

_____

4. Demande-lui s'il va partir en vacances bientôt.

_____

5. Demande-lui ce qu'il va faire en vacances.

_____

6. Demande-leur ce qu'ils ont fait dimanche.

_____

E X E R C I C E 5

Exemple:

Il lui demande s'il peut s'asseoir à côté d'elle.

1. _____

_____

2. _____

3. _____

E X E R C I C E 6

Exemple: | Est-ce qu' | on peut se parler?

Dis-moi | si | *on peut se parler.*

1. Est-ce que tu m'aimes?

_____

2. Est-ce que tu vas revenir bientôt?

_____

3. Est-ce que je peux t'écrire?

_____

Prenez votre cassette.

É C O U T E Z   E T   R É P É T E Z.

1. Je me demande ce qu'il fait toute la journée.

2. Est-ce qu'il étudie? Est-ce qu'il travaille? Est-ce qu'il dort?

3. Dis-moi ce qu'il fait.

4. Va voir s'il étudie, s'il travaille ou bien s'il dort.

É C O U T E Z   E T   R E P R E N E Z.

1. Qu'est-ce que tu veux boire?
   Je te demande ce que tu veux boire.

2. Qu'est-ce que tu as préparé pour le souper?
   Je te demande ce que tu as préparé pour le souper.

3. Est-ce que vous m'écoutez?
   Je vous demande si vous m'écoutez.

4. Est-ce que tu m'aimes?
   Je te demande si tu m'aimes.

É C O U T E Z   E T   R E P R E N E Z.

1. Demande aux enfants s'ils veulent manger quelque chose.
   Est-ce que vous voulez manger quelque chose?

2. Demande-leur ce qu'ils veulent manger.
   Qu'est-ce que vous voulez manger?

3. Demande à Julie ce qu'elle a fait dimanche.
   Qu'est-ce que tu as fait dimanche?

4. Demande à Jean s'il va prendre des vacances bientôt.
   Est-ce que tu vas prendre des vacances bientôt?

5. Demande-lui ce qu'il va faire pendant ses vacances.
   Qu'est-ce que tu vas faire pendant tes vacances?

Quand je serai grand...

Le futur

être	avoir	faire	aller
je serai	j' aurai	je ferai	j' irai
tu seras	tu auras	tu feras	tu iras
il/elle sera	il/elle aura	il/elle fera	il/elle ira
nous serons	nous aurons	nous ferons	nous irons
vous serez	vous aurez	vous ferez	vous irez
ils/elles seront	ils/elles auront	ils/elles feront	ils/elles iront

venir	pouvoir	vouloir	savoir
je viendrai	je pourrai	je voudrai	je saurai
tu viendras	tu pourras	tu voudras	tu sauras
il/elle viendra	il/elle pourra	il/elle voudra	il/elle saura
nous viendrons	nous pourrons	nous voudrons	nous saurons
vous viendrez	vous pourrez	vous voudrez	vous saurez
ils/elles viendront	ils/elles pourront	ils/elles voudront	ils/elles sauront

EXERCICE 1

Que ferez-vous ce soir à la maison?

Exemple: (nous) *Ce soir, à la maison, nous **ferons** de la musique.*

1. (il) _____

2. (elle) _____

3. (tu) _____

4. (elle) _____

5. (il) _____

6. (je) _____

7. (nous) _____

8. (il) _____

EXERCICE 2

Exemple:

Quand je serai grand, je serai pompier.

1. _____

_____

2. _____

_____

3. _____

_____

4. _____

_____

5. _____

_____

E X E R C I C E 3

Exemples:

(revenir)	Je	*reviendrai*	*à*	Montréal.
(aller)	Nous	*irons*	*en*	Espagne.
1. (aller)	J'			New York.
2. (revenir)	Nous			Maroc.
3. (aller)	Vous			États-Unis.
4. (revenir)	Vous			Canada.
5. (aller)	Tu			Québec.
6. (revenir)	Tu			le Sud.
7. (aller)	Elle			Ontario.
8. (revenir)	Ils			Italie.
9. (aller)	Elles			les Maritimes.

E X E R C I C E 4

Exemple: Est-ce qu'il_____*sera*_____présent demain?
(être)

– *Je ne sais pas s'il **sera** présent demain.*

1. Est-ce que vous_____en vacances cet été?
(aller)

_____

2. Est-ce qu'ils_____à la fête ce soir?
(venir)

_____

3. Est-ce que tu_____l'argent la semaine prochaine?
(avoir)

_____

4. Est-ce que nous_____du ski en fin de semaine?
(faire)

_____

E X E R C I C E 5

Exemple: Je crois que tu_____*voudras*_____te coucher tôt ce soir.
(vouloir)

1. Je pense qu'ils ne_____ pas me revoir.
(vouloir)

2. Je suis sûr qu'elle_____aller à l'école toute seule.
(savoir)

3. J'espère qu'ils_____répondre à toutes vos questions.
(savoir)

4. Je suis certaine qu'elle_____danser toute la soirée.
(vouloir)

5. Je suis convaincu que tu_____retrouver ton chemin.
(savoir)

Niveau 3

Le futur

aimer	**finir**	**attendre**
j' aimerai	je finirai	j' attendrai
tu aimeras	tu finiras	tu attendras
il/elle aimera	il/elle finira	il/elle attendra
nous aimerons	nous finirons	nous attendrons
vous aimerez	vous finirez	vous attendrez
ils/elles aimeront	ils/elles finiront	ils/elles attendront

↓	↓	↓
verbes en –er	**verbes en –ir**	**verbes en –re**
chanter	choisir	boire
chercher	dormir	descendre
danser	grossir	dire
donner	maigrir	écrire
écouter	mentir	entendre
étudier	ouvrir	lire
fumer	partir	mettre
jouer	punir	prendre
laver	réussir	rendre
manger	servir	suivre
regarder	sortir	vendre

Exemple: *Il est en train de taper à la machine, il tapera encore dans une heure.*

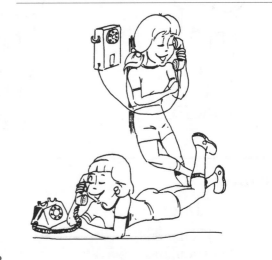

1. _____

2. _____

3. _____

4. _____

5. _____

E X E R C I C E 7

Exemple: Est-ce qu'il va rencontrer tes parents?
– *Non, il ne les **rencontrera** pas.*

1. Est-ce que tu vas laver le linge?

   _____

2. Est-ce que vous allez servir le repas?

   _____

3. Est-ce que nous allons écrire au directeur?

   _____

4. Est-ce qu'ils vont prendre l'autobus?

   _____

5. Est-ce qu'elle va recommencer son travail?

   _____

6. Est-ce que tu vas dormir dans le train?

   _____

7. Est-ce qu'elles vont entendre la musique?

   _____

8. Est-ce qu'il va mettre son chapeau?

   _____

9. Est-ce que je vais grossir?

   _____

10. Est-ce que tu vas boire du vin?

   _____

E X E R C I C E 8

Exemple:	(partir)	Je	*partirai*	demain.
1.	(laver)	Ils		le linge.
2.	(finir)	Vous		votre travail.
3.	(écouter)	Nous		la musique.
4.	(garder)	Je		les enfants.
5.	(lire)	Elles		les journaux.
6.	(mettre)	Tu		ton manteau.
7.	(couper)	Il		du pain.
8.	(boire)	Vous		du thé.
9.	(préparer)	On		le repas.
10.	(parler)	Elle		au directeur.
11.	(regarder)	Tu		ce film.
12.	(apprendre)	Nous		nos leçons.

Exemple:

Ce printemps, *je travaillerai dans mon jardin.*
Je planterai des fleurs.
Je partirai à la pêche.

1. Cet été, _____
_____
_____

2. Cet automne, _____

_____

_____

3. Cet hiver, _____

_____

_____

EXERCICE 10

Exemple: As-tu rangé ta chambre?
              – *Non, je ne l'ai pas encore rangée, je la **rangerai** plus tard.*

1. As-tu lu ma lettre?

   _____

2. A-t-il parlé au patron?

   _____

3. Ont-ils vendu leur chalet?

   _____

4. Avez-vous écouté mes disques?

   _____

5. A-t-elle puni les enfants?

   _____

6. As-tu pris ta douche?

   _____

7. A-t-il bu son lait?

   _____

8. Ont-ils écrit à leur grand-mère?

   _____

EXERCICE 11

Exemple: Dis-moi si tu **parleras** à quelqu'un.
              – *Non, je ne **parlerai** à personne.*

1. Dis-moi si tu écriras à quelqu'un.

   _____

2. Dis-moi si tu diras quelque chose.

   _____

3. Dis-moi si tu achèteras quelque chose.

   _____

4. Dites-moi si vous apporterez quelque chose.

   _____

Prenez votre cassette. NIVEAU 3

ÉCOUTEZ ET RÉPÉTEZ.

1. L'année prochaine, nous irons en vacances en Italie.
2. Nous partirons au début du mois de juillet.
3. Nous visiterons Rome, Venise et Florence.
4. Je crois que Marie ne pourra pas venir avec nous.
5. Elle devra travailler à Montréal tout l'été et ne prendra pas de vacances.

ÉCOUTEZ ET RÉPONDEZ.

1. As-tu bu ton café?
   – Non, je ne l'ai pas encore bu, je le boirai plus tard.
2. As-tu enlevé la neige?
   – Non, je ne l'ai pas encore enlevée, je l'enlèverai plus tard.
3. A-t-elle parlé au patron?
   – Non, elle ne lui a pas encore parlé, elle lui parlera plus tard.
4. Avez-vous pris vos vacances?
   – Non, nous ne les avons pas encore prises, nous les prendrons plus tard.

ÉCOUTEZ ET RÉPONDEZ.

1. Qu'est-ce que tu feras quand tu seras en vacances? du bateau?
   – Oui, quand je serai en vacances, je ferai du bateau.
2. Qu'est-ce que tu feras quand tu seras grand? le tour du monde?
   – Oui, quand je serai grand, je ferai le tour du monde.
3. Qu'est-ce que vous ferez quand vous rentrerez à la maison? le ménage?
   – Oui, quand nous rentrerons à la maison, nous ferons le ménage.
4. Qu'est-ce qu'il fera quand il sera guéri? du sport?
   – Oui, quand il sera guéri, il fera du sport.

Quand j'étais jeune...

Quand j'étais jeune,
j'avais beaucoup d'amis.

L'imparfait des verbes être et avoir

Quand	j' étais			j' avais		
	tu étais			tu avais		
	vous étiez	jeune,		vous aviez		beaucoup d'amis.
	il était			il avait		
	elle était			elle avait		

Quand	nous étions			nous avions		
	vous étiez	jeunes,		vous aviez		
	ils étaient			ils avaient		beaucoup d'amis.
	elles étaient			elles avaient		

E X E R C I C E 1

Exemple: Aujourd'hui, _____*c'est*_____ mardi. _____*Hier, c'était lundi.*_____

1. Aujourd'hui, _____ lundi. _____
2. Demain, _____ jeudi. _____
3. Aujourd'hui, _____ dimanche. _____
4. Demain, _____ mercredi. _____
5. Aujourd'hui, _____ vendredi. _____
6. Demain, _____ samedi. _____

E X E R C I C E 2

Exemple: (tu) *Où **étais**-tu hier, à midi?*
  – *Hier, à midi, j'**étais** dans ma cellule.*

1. (elle) _____
  _____ à la gare.

2. (vous) _____
  _____ au restaurant.

3. (ils) _____
  _____ au chalet.

4. (nous) _____
  _____ dans l'avion.

5. (elles) _____
  _____ à la piscine.

6. (il) _____
  _____ chez le dentiste.

7. (tu) _____
  _____ chez moi.

EXERCICE 3

 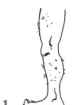

| Exemple | 1. | 2. | 3. | 4. | 5. | 6. |

Exemple: (il) *Il est allé chez le médecin parce qu'il **avait mal** à la main.*

1. (tu) _____
2. (vous) _____
3. (ils) _____
4. (nous) _____
5. (elles) _____
6. (je) _____

EXERCICE 4

J'avais peur!!!

Exemple:

*Il s'est caché, parce qu'il **avait peur**.*

1. _____
_____

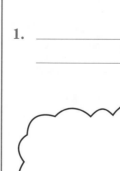  

2. _____
_____

3. _____
_____

EXERCICE 5

Elle n'est pas allée travailler parce qu'elle était trop malade!

elle	aller travailler	trop jeune
tu	boire ton café	trop petits
il	partir en vacances	trop triste
vous	acheter ce manteau	trop dure
on	voir ce film	trop fatigués
elle	manger sa viande	trop chaud
il	mettre ces souliers	trop occupé
tu	prêter ton auto	trop cher
ils	faire du ski	trop malade

Exemple: *Pourquoi est-ce qu'elle n'est pas allée travailler?*
*– Elle n'est pas allée travailler parce qu'elle **était** trop malade.*

1. _____ ?

2. _____ ?

3. _____ ?

4. _____ ?

5. _____ ?

6. _____ ?

7. _____ ?

8. _____ ?

Prenez votre cassette. NIVEAU 3

ÉCOUTEZ ET RÉPÉTEZ.

1. Il y a dix ans, je n'avais pas beaucoup d'amis.
2. J'étais nouveau dans cette ville et je n'avais pas de travail.
3. Mais j'étais jeune et j'avais une bonne santé.
4. Je dois dire aussi que je n'étais pas timide.

ÉCOUTEZ ET RÉPONDEZ.

1. Marie est allée se coucher? Elle avait sommeil?
   – Oui, elle avait sommeil, alors elle est allée se coucher.
2. Pierre est allé chez le médecin? Il avait mal à la gorge?
   – Oui, il avait mal à la gorge, alors il est allé chez le médecin.
3. Tu as bu toute la bouteille? Tu avais très soif?
   – Oui, j'avais très soif, alors j'ai bu toute la bouteille.
4. Les enfants se sont cachés? Ils avaient peur?
   – Oui, les enfants avaient peur, alors ils se sont cachés.

ÉCOUTEZ ET RÉPONDEZ.

1. Pourquoi est-ce que tu n'as pas vu ce film?
   Il était trop triste?
   – Oui, c'est vrai, je n'ai pas vu ce film parce qu'il était trop triste.
2. Pourquoi est-ce que vous n'avez pas fait de ski?
   Vous étiez trop fatigués?
   – Oui, c'est vrai, nous n'avons pas fait de ski parce que nous étions trop fatigués.
3. Pourquoi est-ce que tu ne l'as pas reçu? Tu étais trop occupé?
   – Oui, c'est vrai, je ne l'ai pas reçu parce que j'étais trop occupé.
4. Pourquoi est-ce que tu n'es pas venu à la fête? Tu étais trop malade?
   – Oui, c'est vrai, je ne suis pas venu à la fête parce que j'étais trop malade.

Si je suis malade, je n'irai pas à l'école!

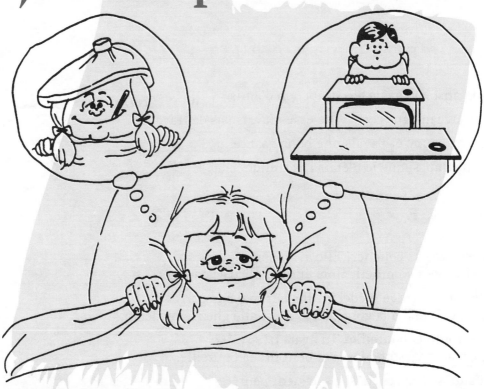

La proposition conditionnelle avec «si»

Si { je suis / tu es / vous êtes / elle est } malade, { je n'irai pas / tu n'iras pas / vous n'irez pas / elle n'ira pas } à l'école.

Si { nous sommes / vous êtes / elles sont } malades, { nous n'irons pas / vous n'irez pas / elles n'iront pas } à l'école.

S'il est malade, il n'ira pas à l'école.
S'ils sont malades, ils n'iront pas à l'école.

S'il ne pleut pas, { nous ferons du bateau. / nous allons faire du bateau.

S'il fait beau, { nous irons à la pêche. / nous allons aller à la pêche.

EXERCICE 1

Exemple: *Si tu travailles bien à l'école,
tu deviendras avocat.*

1. _____
   elle ne sera pas contente.

2. _____
   j'irai à la pêche.

3. _____
   j'attraperai mon train.

4. _____
   je trouverai de l'argent.

5. _____
   vous direz oui.

E X E R C I C E 2

gagner la course	être malade
avoir le temps	aller à l'épicerie
faire froid	partir faire du ski
être sage	allumer un feu
faire beau	manquer l'avion
boire trop	aller à la plage
pleuvoir	avoir un beau cadeau
neiger	être championne
arriver en retard	jouer aux cartes

Exemple: Si elle *gagne* la course, elle *sera* championne.

1. Si j'_____

2. S'il _____

3. Si tu _____

4. S'il _____

5. Si vous _____

6. S'il _____

7. S'il _____

8. Si nous _____

E X E R C I C E 3

Exemple: Aujourd'hui, nous n'allons pas au parc parce qu'il pleut.
Mais, demain, s'il ne **pleut** pas, nous **irons** au parc.

1. Aujourd'hui, les enfants ne regardent pas la télévision parce qu'ils sont punis.

   _____

2. Ce matin, il ne va pas à l'école parce qu'il est malade.

   _____

3. Aujourd'hui, nous ne mettons pas de manteau parce qu'il ne fait pas froid.

   _____

4. Ce mois-ci, tu ne maigris pas parce que tu manges trop de gâteaux.

   _____

5. Cet été, ils ne partent pas en vacances parce qu'ils n'ont pas d'argent.

   _____

6. Aujourd'hui, nous n'achetons pas de fruits parce qu'ils sont trop chers.

   _____

Prenez votre cassette.

NIVEAU 3

ÉCOUTEZ ET RÉPÉTEZ.

1. Si tu ne te dépêches pas, tu arriveras en retard.
2. S'il fait beau dimanche, nous irons à la plage.
3. Si Pierre réussit ses examens, son père lui achètera une auto.
4. Si je gagne à la loto, je partirai faire le tour du monde.

ÉCOUTEZ ET REPRENEZ.

1. Aujourd'hui, nous n'allons pas à la plage parce qu'il pleut.
   Mais, demain, s'il ne pleut plus, nous irons à la plage.
2. Aujourd'hui, je ne sors pas avec mes amis parce que j'ai du travail.
   Mais, demain, si je n'ai plus de travail, je sortirai avec mes amis.
3. Aujourd'hui, les enfants ne regardent pas la télévision parce qu'ils sont punis.
   Mais, demain, s'ils ne sont plus punis, ils regarderont la télévision.
4. Aujourd'hui, il ne vient pas patiner avec nous parce qu'il est malade.
   Mais, demain, s'il n'est plus malade, il viendra patiner avec nous.

ÉCOUTEZ ET RÉPONDEZ.

1. Qu'est-ce que tu feras s'il ne téléphone pas? Tu lui écriras?
   – Oui, s'il ne téléphone pas, je lui écrirai.
2. Qu'est-ce que vous ferez s'il n'y a plus de métro? Vous rentrerez à pied?
   – Oui, s'il n'y a plus de métro, nous rentrerons à pied.
3. Qu'est-ce que je ferai s'il y a une tempête de neige? Je resterai au chalet?
   – Oui, s'il y a une tempête de neige, tu resteras au chalet.
4. Qu'est-ce qu'ils feront si les restaurants sont fermés? Ils mangeront à la maison?
   – Oui, si les restaurants sont fermés, ils mangeront à la maison.

Vite! il faut faire quelque chose...

Le feu est pris! Qu'est-ce qu'il faut faire?

– Il faut appeler les pompiers.

Si le feu prend dans la maison, qu'est-ce qu'il faudra faire?

– Il faudra appeler les pompiers.

La maison a pris feu. Qu'est-ce qu'il a fallu faire?

– Il a fallu appeler les pompiers.

Il faut...		Il faudra...		Il va falloir...		Il a fallu...	
On	doit devra va devoir a dû	avertir appeler trouver attendre	les pompiers? → – Oui,	il faut il faudra il va falloir il a fallu	les	avertir. appeler. trouver. attendre.

Niveau 3

EXERCICE 1

Exemple:

Qu'est-ce qu'il faut faire quand on a faim?

1. Qu'est-ce qu'il faut faire quand on a froid?

2. Qu'est-ce qu'il faut faire quand on a soif?

3. Qu'est-ce qu'il faut faire quand on a sommeil?

4. Qu'est-ce qu'il faut faire quand on est en retard?

5. Qu'est-ce qu'il faut faire quand on a chaud?

EXERCICE 2

Exemples:

Il faut	téléphoner à Henri maintenant.
Il a fallu	rencontrer Georges hier.
Il faudra	écrire au propriétaire demain.
Il va falloir	voir le médecin bientôt.
1.	te lever tout de suite.
2.	vendre notre maison l'année dernière.
3.	préparer nos valises demain.
4.	dire la vérité maintenant.
5.	chercher du travail bientôt.
6.	partir la semaine dernière.

EXERCICE 3

> chercher du travail/écrire/punir/ prendre un taxi/aller à l'hôpital/ manger à la maison/fermer les écoles

Exemple: *Qu'est-ce qu'**il faudra** faire s'il n'est pas sage?*
*– S'il n'est pas sage, **il faudra** le punir.*

1. _____ s'il ne téléphone pas?

2. _____ si les restaurants sont fermés?

3. _____ si on n'a plus d'argent?

4. _____ s'il y a une tempête de neige?

5. _____ s'il n'y a plus de métro?

6. _____ si je suis encore malade demain?

EXERCICE 4

> courir/faire du bruit/pleurer/boire/signer/ fumer/patiner/traverser/se baigner

Exemple: Il ne faut pas _*faire de bruit*_ quand les voisins dorment.

1. Il ne faut pas _____ quand on est une grande fille.
2. Il ne faut pas _____ quand l'eau est trop froide.
3. Il ne faut pas _____ quand la glace est trop mince.
4. Il ne faut pas _____ quand la lumière est rouge.
5. Il ne faut pas _____ quand on est dans son lit.
6. Il ne faut pas _____ quand on conduit sa voiture.
7. Il ne faut pas _____ quand on n'a pas lu le contrat.
8. Il ne faut pas _____ quand les trottoirs sont glissants.

Prenez votre cassette.

NIVEAU 3

ÉCOUTEZ ET RÉPÉTEZ.

1. Il ne faut pas fumer quand on est dans son lit.
2. Il ne faut pas boire quand on doit conduire.
3. Il ne faudra pas rire quand il commencera à chanter.
4. Il faudra te reposer quand tu seras fatigué.
5. Il a fallu pelleter la neige quand nous sommes arrivés au chalet.
6. Il a fallu prendre un taxi quand nous sommes sortis du restaurant.

ÉCOUTEZ ET RÉPONDEZ.

1. Vous étiez en retard. Vous avez dû vous dépêcher?
   – Oui, il a fallu se dépêcher.
2. Il y avait le feu. Vous avez dû appeler les pompiers?
   – Oui, il a fallu les appeler.
3. Marie arrive dimanche. Vous devrez aller la chercher à la gare?
   – Oui, il faudra aller la chercher à la gare.
4. Elle était malade. Vous avez dû l'emmener à l'hôpital?
   – Oui, il a fallu l'emmener à l'hôpital.
5. Il y avait beaucoup de monde. Vous avez dû attendre dehors?
   – Oui, il a fallu attendre dehors.

ÉCOUTEZ ET RÉPONDEZ.

1. Qu'est-ce qu'il faut faire quand on a sommeil? se coucher?
   – Oui, quand on a sommeil, il faut se coucher.
2. Qu'est-ce qu'il faut faire quand on est malade? aller chez le médecin?
   – Oui, quand on est malade, il faut aller chez le médecin.
3. Qu'est-ce qu'il faut faire quand on n'a pas d'argent? travailler?
   – Oui, quand on n'a pas d'argent, il faut travailler.
4. Qu'est-ce qu'il faut faire quand on est en retard? se dépêcher?
   – Oui, quand on est en retard, il faut se dépêcher.
5. Qu'est-ce qu'il faut faire quand on n'a pas d'auto? prendre l'autobus?
   – Oui, quand on n'a pas d'auto, il faut prendre l'autobus.

J'apprends à conduire...

apprendre à...	chercher à ...		essayer de...	oublier de...	
Elle va m'aider	travailler.		J'essaye	dormir.	
On a appris	danser.		On a décidé	continuer.	
Ils cherchent	jouer.		Nous finissons	lire.	
Vous commencez	à	manger.	Il a oublié	de	venir.
Tu réussiras	partir.		Ils proposent	recommencer.	
Elles pensent	se marier.		Elle va arrêter	parler.	
Il a demandé	sortir.		Tu accepteras	chanter.	

pour...   **avant de...**

Il écrit à sa mère pour lui donner des nouvelles.
Elle embrasse son mari avant de partir.

EXERCICE 1

Exemple: *Il lui demande de ne pas faire de bruit.*

1. _____

2. _____

3. _____

4. _____

5. _____

E X E R C I C E 2

Exemple: «Nous avons essayé $\boxed{de}$ nous dépêcher.»

Qu'est-ce qu'elles disent?

– *Elles disent qu'elles ont essayé $\boxed{de}$ se dépêcher.*

1. «J'ai décidé de partir à la campagne.»
   Qu'est-ce qu'elle dit?

   _____

2. «Nous avons fini nos études.»
   Qu'est-ce qu'ils disent?

   _____

3. «J'ai oublié d'acheter du café.»
   Qu'est-ce que tu dis?

   _____

4. «J'ai emprunté de l'argent à mon frère.»
   Qu'est-ce qu'il dit?

   _____

5. «Nous ne faisons plus de bateau.»
   Qu'est-ce qu'ils disent?

   _____

6. «J'ai accepté de le rencontrer ce soir.»
   Qu'est-ce que vous dites?

   _____

E X E R C I C E 3

Exemple: Est-ce que tu as aidé ton frère $\boxed{à}$ faire la vaisselle?

– *Oui, j'ai aidé mon frère $\boxed{à}$ la faire.*

1. Est-ce qu'il a appris à faire de la bicyclette?

   _____

2. Est-ce qu'ils ont cherché à me voir?

   _____

3. Est-ce qu'elle a hésité à acheter cette voiture?

   _____

4. Est-ce que vous avez commencé à étudier le français?

   _____

5. Est-ce que tu as réussi à téléphoner à Gérard?

   _____

6. Est-ce que vous avez pensé à inviter vos parents?

   _____

7. Est-ce qu'elles ont demandé à rencontrer le patron?

   _____

EXERCICE 4

Exemple: essayer

1. apprendre

2. décider

3. aider

4. commencer

5. finir

E X E R C I C E 5

Exemple: Il écrit à sa mère parce qu'il veut lui donner des nouvelles.

   Il écrit à sa mère **pour** *lui donner des nouvelles.*

1. Elle m'a demandé de l'argent parce qu'elle veut s'acheter une bicyclette.

_____

2. Nous partons à la campagne parce que nous voulons nous reposer.

_____

3. Il m'a téléphoné parce qu'il veut m'inviter au théâtre.

_____

4. Ils font du sport parce qu'ils veulent maigrir.

_____

5. Je travaille fort parce que je veux réussir.

_____

E X E R C I C E 6

Exemple: Elle embrasse son mari, puis elle part.

   Elle embrasse son mari **avant de** *partir.*

1. Elle lit son journal, puis elle déjeune.

_____

2. Tu vas dormir un peu, puis tu travailleras.

_____

3. Il a pris un bain, puis il s'est couché.

_____

4. Vous allez lui écrire, puis vous lui enverrez son cadeau.

_____

5. Ils ont acheté leur billet, puis ils sont entrés.

_____

Prenez votre cassette.

NIVEAU 3

ÉCOUTEZ ET RÉPÉTEZ.

1. Hier, Julie était malade. Paul l'a aidée à faire ses devoirs.
2. Elle va partir à la campagne pour se reposer.
3. Elle ira voir son médecin avant de partir.

ÉCOUTEZ ET REPRENEZ.

1. Il écrit à sa mère parce qu'il veut lui donner de ses nouvelles.
   Il écrit à sa mère pour lui donner de ses nouvelles.
2. Elle m'a demandé de l'argent parce qu'elle veut s'acheter une bicyclette.
   Elle m'a demandé de l'argent pour s'acheter une bicyclette.
3. Il m'a téléphoné parce qu'il veut m'inviter au théâtre.
   Il m'a téléphoné pour m'inviter au théâtre.
4. Ils font du sport parce qu'ils veulent maigrir.
   Ils font du sport pour maigrir.
5. Je travaille fort parce que je veux réussir.
   Je travaille fort pour réussir.

ÉCOUTEZ ET REPRENEZ.

1. Elle embrasse son mari, puis elle part.
   Elle embrasse son mari avant de partir.
2. Elle lit son journal, puis elle déjeune.
   Elle lit son journal avant de déjeuner.
3. Tu vas dormir un peu, puis tu travailleras.
   Tu vas dormir un peu avant de travailler.
4. Il a pris un bain, puis il s'est couché.
   Il a pris un bain avant de se coucher.
5. Ils ont acheté leur billet, puis ils sont entrés.
   Ils ont acheté leur billet avant d'entrer.

Il faut que...

Il faut que
tu écoutes
ton père!

Il faut que
tu te coupes
les cheveux!

Le subjonctif

Elle veut que
- j' écoute   mon père.
- tu écoutes   ton père.
- nous écoutions   notre père.
- vous écoutiez   votre père.

Elle veut qu'
- il/elle écoute   son père.
- ils/elles écoutent   leur père.

Il faut que
- je me   coupe
- tu te   coupes
- nous nous   coupions
- vous vous   coupiez

les cheveux.

Il faut qu'
- il/elle se coupe
- ils/elles se coupent

les cheveux.

     Niveau 3

EXERCICE 1

Exemple: Elle doit porter les valises.

1. Il doit enlever ses bottes avant d'entrer.

2. Ils doivent gagner la bataille.

3. Ils doivent rentrer à la maison.

EXERCICE 2

Exemple: Tu dois téléphoner à tes parents?

– Oui, il faut que je leur téléphone.

1. Je dois ranger ma chambre tout de suite?

_____

2. Vous devez vous coucher tôt?

_____

3. On doit manger des légumes?

_____

4. Nous devons garder les enfants ce soir?

_____

5. Je dois préparer le souper?

_____

6. Ils doivent se dépêcher?

_____

Le subjonctif

Je dois ÊTRE à l'heure.

Il faut
{
que je sois
que tu sois
qu'il/elle soit
que nous soyons
que vous soyez
qu'ils/elles soient
}
à l'heure.

J'ai dû AVOIR du courage.

Il a fallu
{
que j' aie
que tu aies
qu'il/elle ait
que nous ayons
que vous ayez
qu'ils/elles aient
}
du courage.

Je vais devoir ALLER chez lui.

Il va falloir
{
que j' aille
que tu ailles
qu'il/elle aille
que nous allions
que vous alliez
qu'ils/elles aillent
}
chez lui.

Je devrai FAIRE du sport.

Il faudra
{
que je fasse
que tu fasses
qu'il fasse
que nous fassions
que vous fassiez
qu'ils/elles fassent
}
du sport.

Je ne dois pas SAVOIR la vérité.

Il ne faut pas
{
que je sache
que tu saches
qu'il/elle sache
que nous sachions
que vous sachiez
qu'ils/elles sachent
}
la vérité.

EXERCICE 3

Exemple: ___Il faut que___ tu ___sois___ à la maison à midi.

1. _____ elle _____ à la gare vers 2 h.
2. _____ vous _____ au bureau avant 9 h.
3. _____ nous _____ à la piscine après 7 h.
4. _____ ils _____ au cinéma avant 4 h.
5. _____ je _____ à l'église vers 11 h.
6. _____ on _____ au restaurant après 1 h.
7. _____ elles _____ à l'école à 8 h.
8. _____ il _____ à la banque avant 3 h.

EXERCICE 4

Exemple: Tu *dois* avoir du courage pour partir.

| *Il faut que* | tu | *aies* | du courage pour partir.

1. Je _____ avoir du temps pour me reposer.

2. Il _____ avoir de la chance pour gagner le concours.

3. Vous _____ avoir une auto pour faire ce travail.

4. Elles _____ avoir de la patience pour garder ces enfants.

5. Nous _____ avoir de l'argent pour acheter ce bateau.

EXERCICE 5

Exemple: «Ne va pas au parc aujourd'hui!»

| *Je ne veux pas que* | tu | *ailles* | au parc aujourd'hui.

1. «Ne fais pas de bêtises!»

2. «Ne soyez pas en retard!»

3. «N'aie pas de mauvaises notes!»

4. «N'allez pas chez lui!»

5. «Ne faites pas de dépenses inutiles!»

6. «Ne sois pas fâché!»

EXERCICE 6

Exemple: Elle ne devra pas savoir que tu es là.

[**Il ne faudra pas qu'**] elle **sache** que tu es là.

1. Vous ne devrez pas être tristes.

2. Nous ne devrons pas faire de bruit.

3. Tu ne devras pas aller la voir.

4. Je ne devrai pas avoir de retard.

5. Ils ne devront pas savoir la vérité.

6. Il ne devra pas faire de sport pendant un mois.

EXERCICE 7

Exemples: Il doit aller à cette réunion?

– *Oui,* [*il faut qu'*] *il y* ***aille****.*

Il a dû aller à cette réunion?

– *Oui,* [*il a fallu qu'*] *il y* ***aille****.*

Il devra aller à cette réunion?

– *Oui,* [*il faudra qu'*] *il y* ***aille****.*

1. Elle devra faire ses bagages la veille du départ?

2. Tu as mal aux dents? Mais, va donc chez le dentiste!

3. Il a dû avoir un billet pour entrer dans la salle?

4. Nous devrons savoir la leçon pour demain?

5. Tu dois être au bureau pour faire ce travail?

6. Ils ont dû faire le ménage dans toute la maison?

7. Je dois vraiment savoir la vérité?

8. Vous devrez avoir une bonne raison pour le déranger!

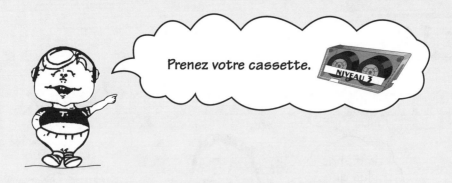

Prenez votre cassette.

ÉCOUTEZ ET RÉPÉTEZ.

1. Mon père ne veut pas que j'aille danser ce soir.

2. Il veut que je fasse mes devoirs.

3. Il faut que je sois à la maison à cinq heures.

4. Il ne faut pas que j'aie une minute de retard.

ÉCOUTEZ ET RÉPONDEZ.

1. Tu dois téléphoner à tes parents?
   – Oui, il faut que je leur téléphone.

2. Ils doivent rencontrer le directeur?
   – Oui, il faut qu'ils le rencontrent.

3. Je dois acheter du pain?
   – Oui, il faut que tu en achètes.

4. Nous devons garder les enfants?
   – Oui, il faut que vous les gardiez.

5. Je dois me dépêcher?
   – Oui, il faut que tu te dépêches.

6. Vous devez vous coucher tôt?
   – Oui, il faut que nous nous couchions tôt.

ÉCOUTEZ ET REPRENEZ.

1. Tu dois avoir de l'argent pour payer ton loyer.
   Il faut que tu aies de l'argent pour payer ton loyer.

2. Vous devez avoir dix-huit ans pour pouvoir entrer dans ce bar.
   Il faut que vous ayez dix-huit ans pour pouvoir entrer dans ce bar.

3. Nous devons être en forme pour aller skier demain.
   Il faut que nous soyons en forme pour aller skier demain.

4. Nous devons avoir de la chance pour réussir.
   Il faut que nous ayons de la chance pour réussir.

Je mange plus qu'eux...

---

plus que...   **autant que...**   **moins que...**

Tu manges autant que moi.   Mon voisin travaille plus que sa femme.

Il mange plus qu'eux.   Julie a travaillé autant que les autres.

Ils mangent moins que lui.   Pierre travaillera moins que Guy.

---

plus de...   **autant de...**   **moins de...**

Je lis plus de livres que de revues.

J'ai autant de sœurs que de frères.

Il y a moins de filles que de garçons.

J'ai vu deux films, tu en as vu trois.   →   J'ai vu moins de films que toi.
                                                Tu as vu plus de films que moi.

Elles ont lu deux livres, et eux aussi.   →   Elles ont lu autant de livres qu'eux.
                                                  Ils ont lu autant de livres qu'elles.

EXERCICE 1

Exemple: J'ai trois sœurs et Lucie en a deux.
             J'ai **plus** **de** *sœurs* **que** *Lucie.*
             Lucie a **moins** **de** *sœurs* **que** *moi.*

1. Il gagne deux cents dollars par semaine, et moi, j'en gagne cent.

_____

_____

2. Vous avez acheté quatre disques, et lui, il en a acheté trois.

_____

_____

3. Pierre a deux filles, et Paul en a quatre.

_____

_____

4. Nous gardons cinq enfants, et Marie en garde dix.

_____

_____

5. Il a une amie, et moi, j'en ai deux.

_____

_____

6. J'ai vendu trois billets, et toi, tu en as vendu huit.

_____

_____

EXERCICE 2

Exemple: Je regarde la télévision **plus** **que** toi?
             – Non, tu la regardes **moins** **que** *moi.*
             – Non, tu la regardes **autant** **que** *moi.*

1. Elle travaille autant que sa sœur?

_____

_____

2. Je fume plus que lui?

_____

_____

3. Ils boivent autant que leur père?

_____

_____

4. Tu lis plus que Pierre?

_____

_____

E X E R C I C E 3

Exemple: *Ils travaillent plus que lui.*
Il travaille moins qu'eux.

1. _____
_____

2. _____
_____

3. _____
_____

E X E R C I C E 4

Exemple: (toi – choses – connaît – il – crois – qu' – je – plus – que – de)
Je crois qu'il connaît plus de choses que toi.

1. (nous – que – ils – vous – disputent – savez – se – autant – qu' – ?)

_____

2. (enfants – bruit – fais – tu – que – penses – plus – les – je – de – que – ?)

_____

3. (que – problèmes – tu – espère – auras – que – j' – de – moins – moi)

_____

Prenez votre cassette. NIVEAU 3

ÉCOUTEZ ET RÉPÉTEZ.

1. Pierre travaille tous les jours de 9 h à 5 h.

2. Son frère Paul travaille seulement le soir.

3. Pierre gagne 500 $ par semaine, et Paul, 200.

4. Paul fait partie d'une équipe de hockey, mais Pierre n'a pas le temps de faire du sport.

ÉCOUTEZ ET RÉPONDEZ.

1. Pierre travaille-t-il autant que son frère Paul?
   – Non, il travaille plus que lui.

2. Paul gagne-t-il autant d'argent que Pierre?
   – Non, il gagne moins d'argent que lui.

3. Pierre a-t-il le temps de jouer au hockey comme son frère Paul?
   – Non, il a moins le temps que lui.

ÉCOUTEZ ET RÉPONDEZ.

1. Ils boivent autant que leur père?
   – Je ne sais pas s'ils boivent autant que lui.

2. Je fume plus que Pierre?
   – Je ne sais pas si tu fumes plus que lui.

3. Elle travaille autant que sa sœur?
   – Je ne sais pas si elle travaille autant qu'elle.

4. Il gagne moins d'argent que les autres employés?
   – Je ne sais pas s'il gagne moins qu'eux.

5. Tu manges plus que moi?
   – Je ne sais pas si je mange plus que toi.

C'est utile de savoir nager!

Les adjectifs suivis d'un infinitif introduit par «de»

Il est	certain content désolé enchanté ennuyé étonné fatigué gêné gentil heureux impatient surpris triste	de lui parler.	C'est	agréable bon dangereux défendu difficile drôle facile important impossible intéressant inutile nécessaire pratique	de le revoir.

J'ai un peu de vaisselle à laver!

Les adjectifs suivis d'un infinitif introduit par «à»

Le verbe avoir suivi d'un nom introduit par «à»

Ce travail est
- agréable
- commode
- compliqué
- difficile
- drôle
- facile
- important
- impossible
- intéressant
- long
- urgent
- utile

à
- faire.
- lire.
- comprendre.
- envoyer.
- copier.
- finir.
- lire.
- connaître.
- lire.
- étudier.
- trouver.
- apprendre.

J'ai eu
J'ai
J'aurai
- du travail
- un livre
- une décision
- du linge
- une lettre
- une histoire
- une chambre
- des amis
- des fruits
- un paquet
- une leçon
- du temps

à
- faire.
- lire.
- prendre.
- laver.
- écrire.
- raconter.
- louer.
- voir.
- acheter.
- envoyer.
- apprendre.
- perdre.

C'est difficile de trouver sa maison.   ⟶   Sa maison est difficile à trouver.
Nous devons rencontrer des amis.   ⟶   Nous avons des amis à rencontrer.

E X E R C I C E 1

agréable	connaître
lourd/lourde	entendre
beau/belle	voir
pénible	manger
facile	croire
utile	assembler
impossible	faire
difficile	porter
bon/bonne	trouver

Exemple: Ce travail *est pénible* $\boxed{à}$ *faire.*

1. Ce spectacle _____

2. Cette valise _____

3. Ces fruits _____

4. Cette musique _____

5. Ces meubles _____

6. Cette histoire _____

7. Ces détails _____

8. Cette adresse _____

E X E R C I C E 2

triste	marcher
content/contente	se marier
heureux/heureuse	travailler pour toi
impatient/impatiente	la trouver ici
désolé/désolée	nous aider
fatigué/fatiguée	ne pas pouvoir venir
gentil/gentille	te revoir
surpris/surprise	partir sans vous
enchanté/enchantée	apprendre cette bonne nouvelle

Exemple: Je *suis triste* $\boxed{de}$ *partir sans vous.*

1. Tu _____

2. Elle _____

3. Je _____

4. Nous _____

5. Ils _____

6. Il _____

7. Vous _____

8. Elles _____

EXERCICE 3

Exemple

J'ai un train à prendre!

1.

2.

3.

EXERCICE 4

terminer/offrir/couper/prendre/raconter/signer/ dépenser/rencontrer/vendre/boire/acheter

Exemple: Nous   **avons**   des amis _____ **à** _____ _rencontrer._

1. J' ☐ un travail _____

2. Il ☐ une histoire _____

3. Nous ☐ de l'argent _____

4. Elle ☐ une décision _____

5. Nous ☐ un gâteau _____

6. Vous ☐ de la bière _____

7. Il ☐ du bois _____

8. Tu ☐ des chèques _____

9. Ils ☐ un cadeau _____

10. Nous ☐ une auto _____

E X E R C I C E 5

Exemple: C'est facile $\boxed{de}$ trouver sa maison.
Sa maison est facile $\boxed{à}$ trouver.

1. C'est impossible de terminer ce travail.

2. C'est important de lire ce livre.

3. C'est dangereux de conduire cette voiture.

4. C'est difficile d'apprendre cette langue.

5. C'est long de faire cette route.

6. C'est drôle de voir ce spectacle.

E X E R C I C E 6

Exemples: Nous avons dû lui donner des explications.
Nous $\boxed{avons\ eu}$ des explications $\boxed{à}$ lui donner.

Nous devons lui donner des explications.
Nous $\boxed{avons}$ des explications $\boxed{à}$ lui donner.

Nous devrons lui donner des explications.
Nous $\boxed{aurons}$ des explications $\boxed{à}$ lui donner.

1. Vous devez faire des courses.

2. Ils ont dû prendre une décision.

3. Elle devra acheter du lait.

4. Tu as dû laver beaucoup de linge.

5. Je dois prendre des médicaments.

6. Il devra trouver un appartement.

7. J'ai dû écrire trois lettres.

8. Elles devront prendre deux autobus.

Prenez votre cassette.

NIVEAU 3

ÉCOUTEZ ET RÉPÉTEZ.

1. Je suis désolé de ne pas pouvoir sortir avec vous.
2. J'ai un travail urgent à remettre demain.
3. Je crois que c'est possible de le terminer ce soir.
4. Mais je n'ai pas de temps à perdre.

ÉCOUTEZ ET RÉPONDEZ.

1. Tu dois prendre des médicaments?
   – Oui, j'ai des médicaments à prendre.
2. Vous devez faire des courses?
   – Oui, nous avons des courses à faire.
3. Vous avez dû lui donner des explications?
   – Oui, nous avons eu des explications à lui donner.
4. Elles devront prendre deux autobus?
   – Oui, elles auront deux autobus à prendre.
5. Il devra perdre du poids?
   – Oui, il aura du poids à perdre.

ÉCOUTEZ ET RÉPONDEZ.

1. Vous ne pensez pas que conduire sur cette route, c'est dangereux?
   – Oui, c'est dangereux de conduire sur cette route.
2. Tu ne trouves pas que manger dans ce restaurant, c'est agréable?
   – Oui, c'est agréable de manger dans ce restaurant.
3. Savez-vous si fumer ici, c'est interdit?
   – Oui, c'est interdit de fumer ici.
4. Vous ne trouvez pas qu'avoir de bons amis, c'est important?
   – Oui, c'est important d'avoir de bons amis.
5. Pensez-vous que trouver un travail, c'est possible?
   – Oui, c'est possible de trouver un travail.
6. Vous ne trouvez pas qu'apprendre le français, c'est difficile?
   – Oui, c'est difficile d'apprendre le français.

Il faut que je grandisse!

Le subjonctif après «Il faut que...», «Je veux que...»

Je dois GRANDIR

Il faut
- que je grandisse.
- que tu grandisses.
- qu'il/elle grandisse.
- que nous grandissions.
- que vous grandissiez.
- qu'ils/elles grandissent.

→

finir
réussir
grandir
punir
maigrir
grossir
choisir
bâtir

Niveau 3

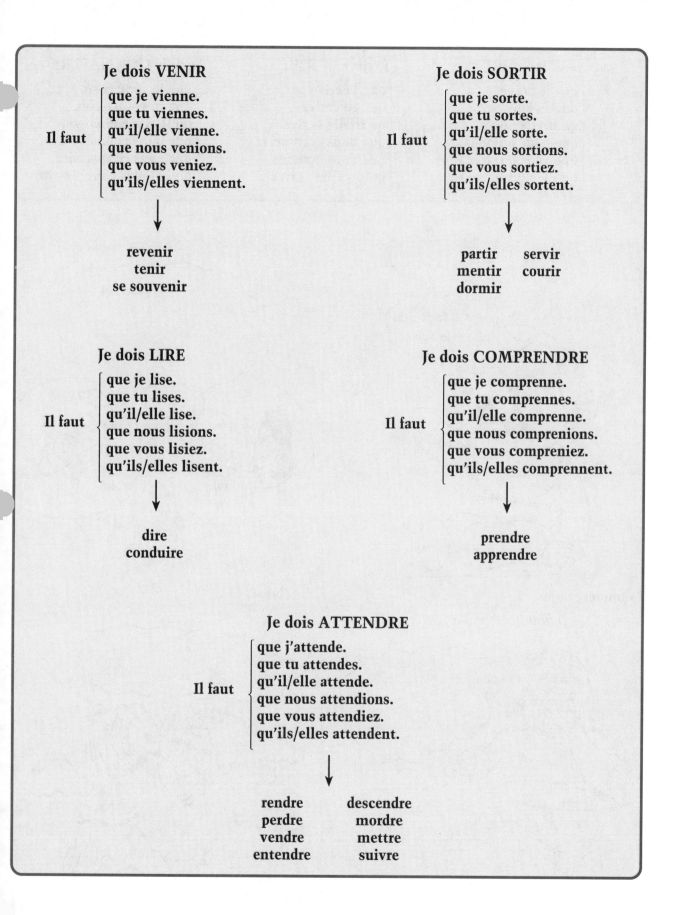

Je dois VENIR

Il faut
- que je vienne.
- que tu viennes.
- qu'il/elle vienne.
- que nous venions.
- que vous veniez.
- qu'ils/elles viennent.

↓

revenir
tenir
se souvenir

Je dois SORTIR

Il faut
- que je sorte.
- que tu sortes.
- qu'il/elle sorte.
- que nous sortions.
- que vous sortiez.
- qu'ils/elles sortent.

↓

partir   servir
mentir   courir
dormir

Je dois LIRE

Il faut
- que je lise.
- que tu lises.
- qu'il/elle lise.
- que nous lisions.
- que vous lisiez.
- qu'ils/elles lisent.

↓

dire
conduire

Je dois COMPRENDRE

Il faut
- que je comprenne.
- que tu comprennes.
- qu'il/elle comprenne.
- que nous comprenions.
- que vous compreniez.
- qu'ils/elles comprennent.

↓

prendre
apprendre

Je dois ATTENDRE

Il faut
- que j'attende.
- que tu attendes.
- qu'il/elle attende.
- que nous attendions.
- que vous attendiez.
- qu'ils/elles attendent.

↓

rendre   descendre
perdre   mordre
vendre   mettre
entendre   suivre

Je dois BOIRE		Je dois ÉCRIRE		Je dois CONNAÎTRE	
	que je boive.		que j'écrive.		que je connaisse.
	que tu boives.		que tu écrives.		que tu connaisses.
Il faut	qu'il/elle boive.	Il faut	qu'il/elle écrive.	Il faut	qu'il/elle connaisse.
	que nous buvions.		que nous écrivions.		que nous connaissions.
	que vous buviez.		que vous écriviez.		que vous connaissiez.
	qu'ils/elles boivent.		qu'ils/elles écrivent.		qu'ils/elles connaissent.

E X E R C I C E **1**

Exemple: boire

Il faut qu'il boive.

1. choisir

2. maigrir

3. redescendre

EXERCICE 2

Exemple: Est-ce que je dois prendre mon médicament tout de suite?

– *Oui.* **Il faut que** *tu le* **prennes** *tout de suite.*

1. Est-ce qu'il doit finir son travail ce soir?

_____

2. Est-ce que tu dois vendre ta voiture?

_____

3. Est-ce que nous devons punir les enfants?

_____

4. Est-ce qu'ils doivent suivre la nouvelle route?

_____

5. Est-ce que vous devez rendre les livres demain?

_____

6. Est-ce qu'elle doit attendre son frère?

_____

EXERCICE 3

Exemple: *J'ai dû lui écrire au Mexique.*

Il a fallu que *je lui* **écrive** *au Mexique.*

1. Nous _____ leur apprendre la nouvelle.

_____

2. Tu _____ partir avant la fin du spectacle.

_____

3. Il _____ attendre une heure à la porte.

_____

4. Vous _____ mettre un manteau.

_____

5. Elle _____ lui dire au revoir.

_____

EXERCICE 4

Exemple: Elles ne doivent pas courir dans la rue.

Il ne faut pas qu' *elles* **courent** *dans la rue.*

1. Tu ne dois pas boire de vin.

_____

2. Je ne dois pas grossir.

_____

3. Elle ne doit pas lire sans lunettes.

_____

4. Ils ne doivent pas venir avec nous.

_____

EXERCICE 5

Exemple: «Viens avec moi!»

$\boxed{\textit{Je veux que}}$ tu $\boxed{\textit{viennes}}$ avec moi.

1. «Mets tes souliers noirs!»

   _____

2. «Sortez de la cuisine immédiatement!»

   _____

3. «Finissons le ménage maintenant!»

   _____

4. «Explique-lui la situation!»

   _____

5. «Dites-moi ce que vous savez!»

   _____

6. «Prends ton médicament!»

   _____

7. «Bois ton café tout de suite!»

   _____

EXERCICE 6

revoir ses parents maigrir être à l'heure avoir de l'argent avoir un rendez-vous parler français	courir prendre des cours écrire au secrétariat suivre un régime vendre la maison se rendre à Paris.

Exemple: *Qu'est-ce qu'elle devra faire pour revoir ses parents?*

$\boxed{\textit{Il faudra qu'}}$ elle se $\boxed{\textit{rende}}$ à Paris.

1. _____ tu _____ ?

2. _____ ils _____ ?

3. _____ nous _____ ?

4. _____ on _____ ?

5. _____ ils _____ ?

EXERCICE 7

Elle ne veut pas que je la conduise à l'école...

Exemple

1.

2.

3.

EXERCICE 8

Exemples:	Je	_**ne veux pas**_	que tu	_**lises**_ (lire)	mon journal.
1.	Elle	_____	que tu	_____ (mettre)	sa robe.
2.	Vous	_____	qu'elle	_____ (écrire)	son histoire.
3.	Il	_____	que nous	_____ (boire)	de l'alcool.
4.	Elles	_____	que je	_____ (vendre)	la maison.
5.	Nous	_____	que vous	_____ (punir)	les enfants.
6.	Je	_____	que tu	_____ (ouvrir)	cette lettre.
7.	Ils	_____	que nous	_____ (sortir)	ce soir.
8.	Tu	_____	que je	_____ (partir)	demain.

Prenez votre cassette.

É C O U T E Z   E T   R É P É T E Z.

1. Bernard est trop gros. Il faut qu'il maigrisse.
2. Je suis toujours en retard. Il faut que je parte plus tôt.
3. Nous n'avons plus d'argent. Il va falloir que nous vendions la maison.
4. Vous voulez apprendre le français? Il faudra que vous preniez des cours.

É C O U T E Z   E T   R E P R E N E Z.

1. Viens avec moi.
   Je veux que tu viennes avec moi.
2. Mets tes souliers noirs.
   Je veux que tu mettes tes souliers noirs.
3. Sortez de la cuisine immédiatement.
   Je veux que vous sortiez de la cuisine immédiatement.
4. Dis-moi ce que tu as.
   Je veux que tu me dises ce que tu as.
5. Prends ton médicament.
   Je veux que tu prennes ton médicament.

É C O U T E Z   E T   R E P R E N E Z.

1. J'ai dû lui écrire au Mexique.
   Il a fallu que je lui écrive au Mexique.
2. Nous avons dû partir avant la fin du spectacle.
   Il a fallu que nous partions avant la fin du spectacle.
3. Il a dû attendre une heure à la porte.
   Il a fallu qu'il attende une heure à la porte.
4. J'ai dû leur apprendre la mauvaise nouvelle.
   Il a fallu que je leur apprenne la mauvaise nouvelle.
5. Vous avez dû appeler la police.
   Il a fallu que vous appeliez la police.

Niveau 3

Je prenais mon bain...

Qu'est-ce qu'il faisait quand le téléphone a sonné?
– Quand le téléphone a sonné, il prenait son bain.

Et vous, qu'est-ce que vous faisiez?
– Moi, je dormais.

L'imparfait

dormir	lire	travailler
je dormais	je lisais	je travaillais
tu dormais	tu lisais	tu travaillais
il/elle dormait	il/elle lisait	il/elle travaillait
nous dormions	nous lisions	nous travaillions
vous dormiez	vous lisiez	vous travailliez
ils/elles dormaient	ils/elles lisaient	ils/elles travaillaient

Avant	L'année dernière	Le mois dernier

Avant, j'aimais me coucher tard.
L'année dernière, elle demeurait à Montréal.
Le mois dernier, il rêvait de partir en Europe.
La semaine dernière, nous voulions déménager.

Moi, je parle français!

EXERCICE 1

Exemple

1.

2.

3.

4.

5.

6.

7.

8.

Qu'est-ce qu'ils faisaient hier à cinq heures?
Exemple: *Ils regardaient la télévision.*

1. _____
2. _____
3. _____
4. _____
5. _____
6. _____
7. _____
8. _____

EXERCICE 2

Exemple: Est-ce que tu _____**patinais**_____ hier à cinq heures?
(patiner)

– *Oui, hier à cinq heures, je* **patinais**.

1. Est-ce que tu _____ garder les enfants hier à six heures?
(garder)

_____

2. Est-ce que vous _____ hier à dix heures?
(se promener)

_____

3. Est-ce que tu _____ hier à huit heures?
(faire le ménage)

_____

4. Est-ce qu'ils _____ hier à une heure?
(travailler)

_____

5. Est-ce que vous _____ hier à minuit?
(danser)

_____

6. Est-ce que tu _____ le repas hier à midi?
(préparer)

_____

EXERCICE 3

Exemple: Quand le téléphone _____**a sonné**_____, il _____**prenait**_____ son bain.
(sonner)   (prendre)

1. Quand ils _____ de la plage, il _____.
(revenir)   (pleuvoir)

2. Quand elle _____ dans la chambre, il _____.
(entrer)   (s'habiller)

3. Quand nous _____, elle _____ se coucher.
(arriver)   (aller)

4. Quand j'_____ les voisins, ils _____ à leur chalet.
(rencontrer)   (partir)

5. Quand tu _____ Pierre, il _____ son chien.
(voir)   (promener)

6. Quand vous _____ l'avion, il _____ nuit.
(prendre)   (faire)

7. Quand le film _____, ils _____.
(se terminer)   (dormir)

8. Quand il _____ travailler, nous _____ le petit déjeuner.
(partir)   (prendre)

EXERCICE 4

Exemple: Cette année, j'habite à Toronto.

L'année dernière, j' $\boxed{\textit{habitais}}$ à Halifax

1. Maintenant, il travaille dans une banque.

   Avant, _____ dans un magasin.

2. Ce mois-ci, nous vendons des autos.

   Il y a six mois, _____ des appartements.

3. Cette semaine, elle rêve de partir aux Antilles.

   Le mois dernier, _____ d'acheter une maison.

4. Aujourd'hui, on boit du vin.

   Avant, _____ de la bière.

5. Cette année, vous jouez du violon.

   L'an dernier, _____ du piano.

6. Maintenant, ils parlent anglais.

   Autrefois, _____ français.

7. Maintenant, j'aime me coucher tôt.

   Avant, _____ me coucher tard.

8. Maintenant, elle veut être pompier.

   Il y a un an, _____ être chanteuse.

EXERCICE 5

Hier après-midi, j' _____ *ai quitté* _____ le bureau à trois heures. J' _____ *ai pris* _____ le métro
(quitter)   (prendre)

parce que dehors il _____ *faisait* _____ froid et qu'il _____ .
(faire)   (pleuvoir)

Quand je _____ chez moi, les garçons _____
(arriver)   (jouer)

au ballon dans le salon, ma fille _____ de la peinture dans la cuisine et le chien
(faire)

_____ partout pour attraper le chat. _____ du désordre dans toute
(courir)   (Il y a)

la maison et les enfants _____ faim.
(avoir)

D'abord, j' _____ le ménage; ensuite, j' _____ le
(faire)   (préparer)

souper; nous _____ ; puis j' _____ la vaisselle.
(manger)   (laver)

Quand ma femme _____ à neuf heures, les enfants
(rentrer)

_____ . Le chien et le chat _____ la télévision.
(dormir)   (regarder)

Moi, je _____ dans mon fauteuil et je _____ enfin mon
(se reposer)   (lire)

journal.

Prenez votre cassette.

NIVEAU 3

ÉCOUTEZ ET RÉPÉTEZ.

1. Maintenant, je dois me coucher tôt. Mais, avant, j'aimais bien me coucher tard.

2. Je demeurais avec deux amies dans un appartement au centre-ville.

3. Maintenant, j'habite en banlieue avec mon mari.

4. Avant, j'allais danser tous les samedis soirs.

5. Maintenant, je reste à la maison pour garder les enfants.

ÉCOUTEZ ET RÉPONDEZ.

1. Cette année, tu demeures à Québec. Et l'année dernière?
   L'année dernière aussi, je demeurais à Québec.

2. Aujourd'hui il pleut. Et hier?
   Hier aussi, il pleuvait.

3. Maintenant, elle boit beaucoup de café. Et avant?
   Avant aussi, elle buvait beaucoup de café.

4. Maintenant, vous prenez le métro pour aller au bureau. Et avant?
   Avant aussi, nous prenions le métro pour aller au bureau.

ÉCOUTEZ ET RÉPONDEZ.

1. Est-ce que tu regardais la télé hier, à cinq heures?
   – Oui, hier, à cinq heures, je regardais la télé.

2. Est-ce qu'elle dormait hier, à onze heures?
   – Oui, hier, à onze heures, elle dormait.

3. Est-ce qu'ils dansaient hier, à minuit?
   – Oui, hier, à minuit, ils dansaient.

4. Est-ce qu'il neigeait ce matin, à sept heures?
   – Oui, ce matin, à sept heures, il neigeait.

J'ai trois cousins qui...
J'ai trois cousins que...

Les pronoms relatifs   **qui**   **que/qu'**

J'ai trois cousins.
Ils habitent aux États-Unis. } → J'ai trois cousins qui habitent aux États-Unis.

J'ai trois cousins.
Je ne les vois pas souvent. } → J'ai trois cousins que je ne vois pas souvent.

Une jeune fille est entrée.
Je la connais bien. } → Je connais bien la jeune fille qui est entrée.

Il m'a présenté une jeune fille.
Il l'aime. } → Il m'a présenté la jeune fille qu'il aime.

EXERCICE 1

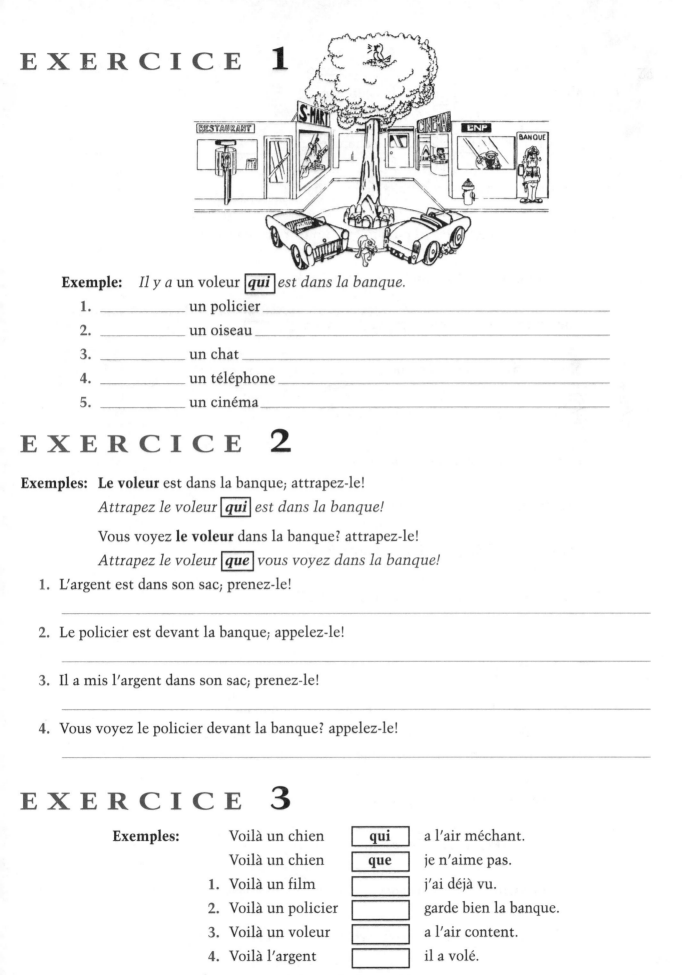

Exemple: *Il y a un voleur* **qui** *est dans la banque.*

1. _____ un policier _____
2. _____ un oiseau _____
3. _____ un chat _____
4. _____ un téléphone _____
5. _____ un cinéma _____

EXERCICE 2

Exemples: **Le voleur** est dans la banque; attrapez-le!

Attrapez le voleur **qui** *est dans la banque!*

Vous voyez **le voleur** dans la banque? attrapez-le!

Attrapez le voleur **que** *vous voyez dans la banque!*

1. L'argent est dans son sac; prenez-le!

   _____

2. Le policier est devant la banque; appelez-le!

   _____

3. Il a mis l'argent dans son sac; prenez-le!

   _____

4. Vous voyez le policier devant la banque? appelez-le!

   _____

EXERCICE 3

Exemples: Voilà un chien | **qui** | a l'air méchant.

Voilà un chien | **que** | je n'aime pas.

1. Voilà un film | | j'ai déjà vu.
2. Voilà un policier | | garde bien la banque.
3. Voilà un voleur | | a l'air content.
4. Voilà l'argent | | il a volé.

E X E R C I C E 4

Exemples: J'ai perdu une clé; ils la cherchent.

Ils cherchent la clé que j'ai perdue.

J'ai perdu des clés; ils les cherchent.

Ils cherchent les clés que j'ai perdues.

1. Vous m'avez rendu des devoirs; je les ai corrigés.

2. Il a construit un chalet à la montagne; nous irons le visiter.

3. Elle a apporté des disques; j'ai envie de les écouter.

4. Vous avez loué une voiture; je veux la voir.

5. Nous avons composé des chansons; elle les chantera ce soir.

6. Tu as commencé un dessin; tu vas le finir.

7. Elle a fait des biscuits; je ne les aime pas.

8. Il a pris une photo; il la donnera à sa mère.

9. J'ai acheté un livre; je l'ai oublié au restaurant.

10. Tu as trouvé un parapluie; tu l'as prêté à Gilles.

E X E R C I C E 5

Exemple: Une fille a téléphoné pour toi; je ne la connais pas.

Je ne connais pas la fille qui a téléphoné pour toi.

1. Des invités viennent d'arriver; il les présente à sa mère.

2. Une maison était à vendre; nous l'avons visitée.

3. Un voleur est entré dans la banque; je l'ai vu.

4. Un professeur a corrigé mes devoirs; vous lui avez parlé.

5. Un bateau leur plaisait; ils l'ont acheté.

EXERCICE 6

> Je vous présente la jeune fille que je veux épouser.

Exemples:

Je vous présente la jeune fille | *qui* | travaille avec moi.

Je vous présente la jeune fille | *que* | je veux épouser.

1. Je n'aime pas les fruits | | tu as achetés hier.
2. Il a puni les enfants | | ont été méchants.
3. Avez-vous lavé les draps | | étaient dans la chambre?
4. Prépare les devoirs | | le professeur nous a donnés!
5. Il a répété le secret | | je lui ai dit.
6. Nous allons manger le pain | | tu viens d'acheter.
7. J'ai téléphoné au dentiste | | tu connais.
8. Nous avons cherché la maison | | elle habitait l'année dernière.
9. Vous avez pris les clés | | étaient dans mon sac?
10. Elle ne regarde jamais les films | | sont trop tristes.

EXERCICE 7

Exemples:

Je ne vois pas la maison | *qui* | est à vendre.

Je ne vois pas la maison | *que* | tu as vendue.

1. Je ne connais pas l'homme | | ton père a salué.
2. Je ne connais pas l'homme | | est venu la voir.
3. Elle ne veut pas porter la robe | | j'aime.
4. Elle ne veut pas porter la robe | | était à sa sœur.
5. Tu n'aimes pas le café | | est trop fort.
6. Tu n'aimes pas le café | | ta mère prépare.
7. Vous n'allez pas couper les arbres | | nous avons plantés.
8. Vous n'allez pas couper les arbres | | sont dans l'entrée.
9. Nous avons vu le film | | commençait à 7 h.
10. Nous avons vu le film | | tu nous a recommandé.

Prenez votre cassette.

ÉCOUTEZ ET RÉPÉTEZ.

1. J'ai trois cousins qui habitent aux États-Unis.
2. J'ai trois cousins que je ne vois pas souvent.
3. Je ne vois pas souvent mes trois cousins qui habitent aux États-Unis.
4. Mes trois cousins, que je ne vois pas souvent, habitent aux États-Unis.

ÉCOUTEZ ET REPRENEZ.

1. Une fille a téléphoné pour toi; je ne la connais pas.
   Je ne connais pas la fille qui a téléphoné pour toi.
2. Une maison était à vendre; nous l'avons visitée.
   Nous avons visité la maison qui était à vendre.
3. Un voleur est entré dans la banque; je l'ai vu.
   J'ai vu le voleur qui est entré dans la banque.
4. Un professeur a corrigé mes devoirs; vous lui avez parlé.
   Vous avez parlé au professeur qui a corrigé mes devoirs.
5. Un bateau leur plaisait; ils l'ont acheté.
   Ils ont acheté le bateau qui leur plaisait.

ÉCOUTEZ ET REPRENEZ.

1. Tu as construit un chalet; nous irons le visiter.
   Nous irons visiter le chalet que tu as construit.
2. J'ai acheté un livre hier; je l'ai oublié au restaurant.
   J'ai oublié au restaurant le livre que j'ai acheté hier.
3. Tu as commencé un travail; tu vas le finir.
   Tu vas finir le travail que tu as commencé.
4. Elles ont apporté des disques; j'ai envie de les écouter.
   J'ai envie d'écouter les disques qu'elles ont apportés.
5. Il a fait un gâteau; tu ne l'aimes pas.
   Tu n'aimes pas le gâteau qu'il a fait.

Je me demande
ce que je peux faire...

Il se demande ce qu'il peut faire.

Qu'est-ce que je peux faire?

Je me demande ce que...   Je ne sais pas ce qui...

Qu'est-ce que { tu veux? / je dois faire? }
Qu'est-ce qu' { elle a dit? / ils pensent? } → Je me demande { ce que { tu veux. / je dois faire. } / ce qu' { elle a dit. / ils pensent. } }

Qu'est-ce qui { se passe? / t'amuse? / fait ce bruit? / est arrivé? } → Je ne sais pas ce qui { se passe. / t'amuse. / fait ce bruit. / est arrivé. }

J'ai demandé quelque chose.
Il ne l'a pas fait. } → Il n'a pas fait ce que j'ai demandé.

Quelque chose était nécessaire.
Il ne l'a pas fait. } → Il n'a pas fait ce qui était nécessaire.

Moi, je parle français!

EXERCICE **1**

Qu'est-ce que
je dois faire?

Exemples:

Je ne sais pas **ce que** *je dois faire.*

Qu'est-ce qui
se passe?

Je ne sais pas **ce qui** *se passe.*

Qu'est-ce que
tu vends?

1. _____

Qu'est-ce qui
est interdit?

2. _____

Qu'est-ce que
vous mangez?

3. _____

Qu'est-ce que
tu viens de dire?

4. _____

Qu'est-ce qui
ne va pas?

5. _____

Qu'est-ce que
je peux lui acheter?

6. _____

Qu'est-ce qu'ils
espèrent?

7. _____

Qu'est-ce que
tu fais?

8. _____

Qu'est-ce que
vous voulez?

9. _____

Qu'est-ce qui est
très important?

10. _____

EXERCICE 2

Exemple: *Elle se demande ce qu'elle a fait.*

1. _____

2. _____

3. _____

4. _____

5. _____

EXERCICE 3

Exemples: Qu'est-ce que tu veux? Est-ce que tu le sais?

Est-ce que tu sais ce que tu veux?

Qu'est-ce qui se passe? Est-ce que tu le sais?

Est-ce que tu sais ce qui se passe?

1. Qu'est ce qu'il a fait? Est-ce que vous le savez?

_____

2. Qu'est-ce qu'ils ont décidé? Est-ce que tu le sais?

_____

3. Qu'est ce qui fait ce bruit? Est-ce que vous le savez?

_____

4. Qu'est-ce que nous pouvons boire? Est-ce que tu le sais?

_____

5. Qu'est-ce qui ne va pas? Est-ce qu'il le sait?

_____

6. Qu'est-ce que nous pourrons lui offrir? Est-ce que vous le savez?

_____

7. Qu'est-ce qui est tombé sous la table? Est-ce que tu le sais?

_____

8. Qu'est-ce qui est caché derrière mon dos? Est-ce que tu le sais?

_____

EXERCICE 4

Exemples: Raconte-moi *ce qu'* elle t'a dit.

Je n'aime pas *ce qui* fait du bruit.

1. Ils ont acheté [   ] ils voulaient.

2. Nous savons [   ] l'amuse.

3. Elle ne comprend pas [   ] je lui dis.

4. J'ai préparé [   ] tu m'as demandé.

5. Tu lui as offert [   ] lui plaisait beaucoup.

6. Vous avez fait [   ] était nécessaire.

7. Elles ont oublié [   ] elles devaient apporter.

8. Je prendrai [   ] restera.

E X E R C I C E 5

Exemple: *Il leur raconte des histoires.*

1. _____

2. _____

3. _____

E X E R C I C E 6

Exemples: Je lui ai demandé ▢quelque chose▢; il ne l'a pas fait.

Il n'a pas fait ▢ce que▢ *je lui ai demandé.*

▢Quelque chose▢ était nécessaire; il ne l'a pas fait.

Il n'a pas fait ▢ce qui▢ *était nécessaire.*

1. Je voulais quelque chose; elle ne l'a pas acheté.

_____

2. Ils cherchaient quelque chose; ils ne l'ont pas trouvé.

_____

3. Quelque chose était au programme; nous l'avons lu.

_____

4. Quelque chose était cassé; elle l'a réparé.

_____

5. Quelque chose était gratuit; tu l'as choisi.

_____

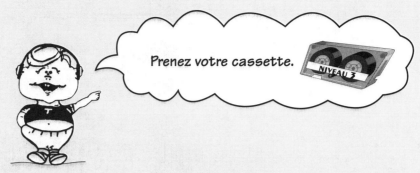

Prenez votre cassette.

É C O U T E Z   E T   R É P É T E Z.

1. Qu'est-ce que tu veux faire? Je me demande ce que tu veux faire.
2. Qu'est-ce qu'elle a dit? Je n'ai pas entendu ce qu'elle a dit.
3. Qu'est-ce qui se passe? Je ne sais pas ce qui se passe.
4. Qu'est-ce qui est arrivé? Dis-moi ce qui est arrivé.
5. Qu'est-ce que tu en penses? Il veut savoir ce que tu en penses.

É C O U T E Z   E T   R E P R E N E Z.

1. Qu'est-ce qui se passe?
   Je ne sais pas ce qui se passe.
2. Qu'est-ce que je dois faire?
   Je ne sais pas ce que je dois faire.
3. Qu'est-ce qui est interdit?
   Je ne sais pas ce qui est interdit.
4. Qu'est-ce que tu viens de dire?
   Je ne sais pas ce que tu viens de dire.
5. Qu'est-ce qui ne va pas?
   Je ne sais pas ce qui ne va pas.
6. Qu'est-ce qu'ils veulent boire?
   Je ne sais pas ce qu'ils veulent boire.

É C O U T E Z   E T   R E P R E N E Z.

1. Je lui ai demandé quelque chose; il ne l'a pas fait.
   Il n'a pas fait ce que je lui ai demandé.
2. Je voulais quelque chose; elle ne l'a pas acheté.
   Elle n'a pas acheté ce que je voulais.
3. Tu cherchais quelque chose; tu ne l'as pas trouvé.
   Tu n'as pas trouvé ce que tu cherchais.
4. Quelque chose était au programme; nous l'avons lu.
   Nous avons lu ce qui était au programme.
5. Quelque chose était cassé; elle l'a réparé.
   Elle a réparé ce qui était cassé.

Je le crois...
J'en suis sûr!

Je le crois.	Je le sais.		Je le pense.	Je le dis.	Je l'espère.

Je $\left\{\begin{array}{l}\text{crois}\\\text{sais}\\\text{pense}\\\text{dis}\\\text{suppose}\end{array}\right\}$ qu'ils sont malades. ⟶ Je le $\left\{\begin{array}{l}\text{crois.}\\\text{sais.}\\\text{pense.}\\\text{dis.}\\\text{suppose.}\end{array}\right.$

J' $\left\{\begin{array}{l}\text{espère}\\\text{apprends}\\\text{imagine}\end{array}\right\}$ qu'ils ne sont pas trop malades. ⟶ Je l' $\left\{\begin{array}{l}\text{espère.}\\\text{apprends.}\\\text{imagine.}\end{array}\right.$

EXERCICE 1

Exemple: Il croit qu'il va pleuvoir.

1. Il imagine qu'il est en vacances.

2. Il dit qu'il a raison.

3. Il pense qu'il est beau.

4. Elle espère qu'elle va garder sa dernière dent.

5. Il a décidé qu'il retournait à l'école.

EXERCICE 2

Exemple: Est-ce qu'il a dit | qu'il était riche | ?

– *Oui il* | *l'* | *a dit.*

1. Est-ce que vous savez qu'il habite à Québec?

   _____

2. Est-ce que tu espères qu'il reviendra?

   _____

3. Est-ce que vous avez appris qu'il était malade?

   _____

4. Est-ce qu'elle croit qu'elle va réussir?

   _____

5. Est-ce que tu penses qu'il va faire beau?

   _____

Je le peux.   **Je le souhaite.**   **Je le veux.**   **Je l'exige.**

Je { peux / souhaite / veux / désire / promets de / décide de } parler français.	→ Je le { peux. / souhaite. / veux. / désire. / promets. / décide. }
J' { accepte de / exige de } parler français.	→ Je l' { accepte. / exige. }

EXERCICE 3

Exemple: Est-ce qu'elle veut | se marier bientôt | ?

– *Oui, elle* | *le* | *veut.*

1. Est-ce que tu souhaites retourner dans ton pays?

   _____

2. Est-ce que vous acceptez de rencontrer ses parents?

   _____

3. Est-ce qu'ils exigent de voir nos passeports?

   _____

4. Est-ce que tu veux venir me voir?

   _____

5. Est-ce que je peux vous demander quelque chose?

   _____

E X E R C I C E 4

Exemples: Je partirai demain: je `le` pense.

Je pense `partir demain` .

Il partira demain; je `le` pense.

Je pense `qu'il partira demain` .

1. Il téléphonera; il l'a promis.

   _____

2. Elle ne sera pas malade; nous l'espérons.

   _____

3. Les cours finiront en décembre; je l'imagine.

   _____

4. J'apprendrai à nager; je le veux.

   _____

5. Nous irons à Paris; tu le crois.

   _____

Penses-y!	**Pensez-y!**	**N'y pense pas!**	**N'y pensez pas!**

Pense
Pensez } à ce que je vous dis! ⟶ { Penses-y!
Pensez-y!

Ne pense pas
Ne pensez pas } à ce qu'il vous a dit! ⟶ { N'y pense pas!
N'y pensez pas!

E X E R C I C E 5

Exemples: Ne pensez pas `à ce qui est arrivé` !

N' `y` pensez pas!

Pensez `à ce qui est arrivé` !

Pensez- `y` !

1. Pense à ce que je t'ai demandé!

   _____

2. Ne pense pas à ce qu'ils t'ont promis!

   _____

3. Pensez à ce que vous devez faire!

   _____

4. Ne pensez pas à ce qu'elle va faire!

   _____

J'en suis sûr.	J'en suis convaincu.	J'en suis capable.

Je suis
- sûr/sûre
- certain/certaine
- fier/fière
- content/contente
- convaincu/convaincue
- capable

de réussir. ⟶ J'en suis
- sûr/sûre.
- certain/certaine.
- fier/fière.
- content/contente.
- convaincu/convaincue.
- capable.

J'en ai besoin.	J'en ai envie.	J'en ai l'air.	J'en ai l'habitude.

J'ai
- besoin de dormir.
- envie de me reposer.
- l'air d'être fatigué.
- l'habitude de travailler fort.

⟶ J'en ai
- besoin.
- envie.
- l'air.
- l'habitude.

Je m'en souviens.	Je m'en doute.

Je me souvenais
Je me doutais
} qu'elle était malade. ⟶ Je m'en
- souvenais.
- doutais.

E X E R C I C E 6

Exemple: Tu as besoin de partir en vacances ?
– *Oui, j' en ai besoin.*

1. Tu as envie de te baigner?

   _____

2. Vous avez l'habitude de venir ici?

   _____

3. Tu te souviens que je t'ai prêté de l'argent?

   _____

4. J'ai l'air de me réveiller?

   _____

5. Tu te doutais qu'il était policier?

   _____

6. Vous êtes certaines de le revoir?

   _____

EXERCICE 7

Exemple: *J'en ai besoin.*

2. _____

4. _____

6. _____

1. _____

3. _____

5. _____

7. _____

Prenez votre cassette. NIVEAU 3

É C O U T E Z   E T   R É P É T E Z.

1. J'ai appris que Pierre était malade, mais je m'en doutais.

2. Je ne sais pas s'il va reprendre le travail bientôt, mais je l'espère.

3. J'ai peur que ce soit grave, mais je n'y pense pas trop.

É C O U T E Z   E T   R E P R E N E Z.

1. Je suis persuadé qu'elle m'écrira.
   Elle m'écrira, j'en suis persuadé.

2. Je suis sûr qu'il réussira.
   Il réussira, j'en suis sûr.

3. Nous sommes convaincus que tu reviendras.
   Tu reviendras, nous en sommes convaincus.

4. Elle est certaine qu'il va faire beau.
   Il va faire beau, elle en est certaine.

É C O U T E Z   E T   R É P O N D E Z.

1. Tu as besoin de partir en vacances?
   – Oui, j'en ai besoin.

2. Tu te souviens que je t'ai prêté de l'argent?
   – Oui, je m'en souviens.

3. Les enfants ont envie de se baigner?
   – Oui, ils en ont envie.

4. Vous avez l'habitude de venir ici?
   – Oui, nous en avons l'habitude.

5. J'ai l'air de sortir du lit?
   – Oui, tu en as l'air.

6. Vous vous doutiez qu'il était policier?
   – Oui, nous nous en doutions.

E X E R C I C E 1

Je pense que (qu')	elle	dormir
Je ne sais pas si (s')	vous	travailler
Je me demande si (s')	tu	étudier
Je te dis que (qu')	il	téléphoner
Je crois que (qu')	elles	se coucher
Je suis sûr que (qu')	ils	se promener
J'imagine que (qu')		pleurer

Exemple: *Je pense qu'ils sont en train de travailler.*

1. _____

2. _____

3. _____

4. _____

5. _____

6. _____

EXERCICE 2

Exemple:	Nous	*sommes*	*en train de*	*regarder*	la télévision.
1.	Je				la vaisselle.
2.	Tu				tes leçons.
3.	Ils				le souper.
4.	Elle				la radio.
5.	Nous				du ski.
6.	Il				à son amie.
7.	Vous				au tennis.
8.	Elles				les plantes.
9.	On				le linge.

EXERCICE 3

Exemples: Je _____ *ne pourrai pas* _____ aller faire du ski,
je viens de me casser une jambe.

Vous _____ *ne pouvez pas* _____ monter dans l'avion,
il est en train de décoller.

1. Nous _____ voir le médecin,

_____

2. Tu _____ aller à la piscine,

_____

3. Il _____ acheter une auto,

_____

4. Elles _____ jouer avec vous,

_____

EXERCICE 4

Exemples: Demandez-lui pour qui il travaillera l'année prochaine.
«*Pour qui travailleras-tu* l'année prochaine?»

Demandez-leur pour qui ils sont en train de travailler maintenant.
«*Pour qui êtes-vous en train de travailler* maintenant?»

1. Demande-lui avec quoi _____ en ce moment.

_____

2. Demande-leur chez qui _____ la semaine prochaine.

_____

3. Demandez-lui à qui _____ maintenant.

_____

4. Demande-lui avec qui _____ demain.

_____

EXERCICE 5

Exemple:	Je	*réussirai*	mes examens.
1.	Ils		le linge.
2.	Vous		votre travail.
3.	Nous		la musique.
4.	Je		les enfants.
5.	Elles		les journaux.
6.	Tu		ton manteau.
7.	Il		du pain.
8.	Vous		du thé.
9.	On		le repas.
10.	Elle		au directeur.
11.	Tu		ce film.
12.	Nous		nos leçons.

EXERCICE 6

Exemple: (je) *Qu'est-ce que je vais faire quand je vais la voir?*

*Qu'est-ce que je **ferai** quand je la **verrai**?*

1. (tu) _____

_____

2. (il) _____

_____

3. (nous) _____

_____

4. (vous) _____

_____

5. (elles) _____

_____

EXERCICE 7

Exemple: Quand le téléphone _____*a sonné*_____, il _____*prenait*_____ son bain.
                                  (sonner)   (prendre)

1. Quand je les _____, ils _____.
                    (voir)   (travailler)

2. Quand elle _____, je _____.
                    (partir)   (pleurer)

3. Quand nous _____, vous _____.
                    (arriver)   (danser)

4. Quand vous _____, elles _____.
                    (entrer)   (dormir)

EXERCICE 8

Exemple: (se cacher) *Pourquoi s'est-il caché?*
*– Il s'est caché parce qu'il **avait peur**.*

1. (manger) _____

_____

2. (se baigner) _____

_____

3. (aller se coucher) _____

_____

4. (boire) _____

_____

5. (aller chez le médecin) _____

_____

6. (mettre un manteau) _____

_____

EXERCICE 9

Exemples: *Qu'est-ce qu'il faut faire quand on est fatigué?*
– Quand on est fatigué, $\boxed{\textit{il faut}}$ *se reposer.*

Qu'est-ce qu'il faudra faire s'il ne téléphone pas?
– S'il ne téléphone pas, $\boxed{\textit{il faudra}}$ *lui écrire.*

1. _____ quand il pleut?

_____

2. _____ s'il n'y a plus de métro?

_____

3. _____ si les restaurants sont fermés?

_____

4. _____ quand on est trop gros?

_____

5. _____ quand on a mal aux dents?

_____

6. _____ s'il y a une tempête de neige?

_____

7. _____ quand on est en retard?

_____

8. _____ si on n'a pas d'auto?

_____

E X E R C I C E **10**

Exemple: *Est-ce qu'il y a* **quelqu'un** *dans le jardin?*

– Non, il $\boxed{\textbf{n'}}$ y a $\boxed{\textbf{personne}}$.

1. _____

– Non, personne ne l'a vue.

2. _____

– Non, il ne m'a rien offert.

3. _____

– Non, je n'ai rien appris.

4. _____

– Non, personne ne nous a répondu.

5. _____

– Non, elle n'a rien apporté.

E X E R C I C E **11**

Exemple: (écrire) Dis-moi *si tu écriras à* quelqu'un.

– Non, *je* $\boxed{\textbf{n'}}$ *écrirai à* $\boxed{\textbf{personne}}$.

1. (apporter) Dites-moi _____ quelque chose.

– Non, _____

2. (parler) Dis-nous _____ quelqu'un.

– Non, _____

3. (acheter) Dites-moi _____ quelque chose.

– Non, _____

4. (remercier) Dis-moi _____ quelqu'un.

– Non, _____

5. (prendre) Dites-moi _____ quelque chose.

– Non, _____

E X E R C I C E **12**

Exemple: Elle a mangé $\boxed{\textit{toute}}$ la viande.

1. Tu connais $\boxed{}$ mes amies.

2. J'ai acheté $\boxed{}$ ces livres.

3. Ils ont fait $\boxed{}$ la vaisselle.

4. Elle a lu $\boxed{}$ le journal.

5. Vous avez dormi, $\boxed{}$ la journée.

6. Nous avons monté $\boxed{}$ les valises.

E X E R C I C E **13**

Exemples: *C'est* ⎫
C'était ⎬ **difficile** `de` lui apprendre à nager.
Ce sera ⎭

1. _____ défendu ☐ _____
2. _____ intéressant ☐ _____
3. _____ dangereux ☐ _____
4. _____ agréable ☐ _____
5. _____ facile ☐ _____
6. _____ drôle ☐ _____
7. _____ important ☐ _____
8. _____ impossible ☐ _____
9. _____ inutile ☐ _____
10. _____ nécessaire ☐ _____

E X E R C I C E **14**

Exemples: Nous sommes **fatigués** `de` *travailler.*

C'est **difficile** `de` *maigrir.*

Sa maison est **difficile** `à` *trouver.*

1. Je suis désolé ☐ _____
2. Ce spectacle est drôle ☐ _____
3. C'est dangereux ☐ _____
4. Cette langue est facile ☐ _____
5. Elle est certaine ☐ _____
6. C'est long ☐ _____

E X E R C I C E **15**

Exemples: (aider)   *Je l'**ai aidé** `à` faire ses devoirs.*

(décider) *Il **a décidé** `de` ne plus travailler.*

1. (apprendre) _____
2. (essayer) _____
3. (commencer) _____
4. (accepter) _____
5. (réussir) _____
6. (oublier) _____
7. (proposer) _____
8. (arrêter) _____

E X E R C I C E 16

Exemple: Je ___*ne veux pas que*___ tu ___*sois*___ triste.
(être)

1. Elle _____ il _____ .
(avoir peur)

2. Nous _____ vous _____ du bruit.
(faire)

3. Il _____ tu _____ .
(fumer)

4. Je _____ elle _____ .
(se maquiller)

5. Vous _____ je _____ chez lui.
(aller)

E X E R C I C E 17

Exemples: Tu dois aller chez le dentiste?
– *Oui,* il faut que *j'y aille.*

Tu as dû aller chez le dentiste?
– *Oui,* il a fallu que *j'y aille.*

Tu devras aller chez le dentiste?
– *Oui,* il faudra que *j'y aille.*

1. Tu devras faire le ménage ce soir?
_____

2. Elles doivent savoir la vérité?
_____

3. Il a dû se couper les cheveux?
_____

4. Je dois travailler?
_____

5. Nous devons choisir une nouvelle voiture?
_____

6. Vous avez dû maigrir?
_____

7. Elle doit prendre des médicaments?
_____

8. Ils ont dû vendre leur maison?
_____

9. Tu dois avoir une secrétaire?
_____

10. Vous avez dû lui mentir?
_____

E X E R C I C E 18

Exemples: **Si** tu **es** sage, *tu **auras** des images.*
Si tu **es** sage, *tu **vas avoir** des images.*

1. S'il fait beau, _____
2. Si vous avez le temps, _____
3. Si tu te lèves tôt, _____
4. Si je fais la vaisselle, _____
5. Si nous n'avons plus d'argent, _____
6. Si elle me téléphone, _____
7. S'il boit trop, _____
8. Si tu ne te dépêches pas, _____
9. Si elles me prêtent leur voiture, _____
10. Si vous n'êtes pas fatigué, _____
11. Si je ne travaille pas, _____
12. Si tu veux, _____

E X E R C I C E 19

Exemple: *Mon fils est **plus petit que** ma fille.*
*Ma fille est **plus grande que** mon fils.*

1. _____ plus riche _____
_____

2. _____ plus vieille _____
_____

3. _____ plus beau _____
_____

4. _____ pires _____
_____

5. _____ plus mince _____
_____

6. _____ meilleures _____
_____

E X E R C I C E 20

Exemple: Dis-moi **quelles** *langues tu parles.*

1. Dites-lui quand _____
2. Dis-leur où _____
3. Dites-nous comment _____
4. Dis-lui combien _____
5. Dites-moi pourquoi _____
6. Dis-nous quel _____

EXERCICE 21

Exemple: Comment **coupe-t-on** le bois?
Sais-tu comment on coupe le bois?
– On coupe le bois avec une hache.

1. Comment joue-t-on au tennis?

_____

_____

2. Comment peut-on aller au Japon?

_____

_____

3. Comment fait-on les gâteaux?

_____

_____

EXERCICE 22

Exemple: (être triste)
«Pourquoi es-tu triste?»
Il ne comprend pas pourquoi tu es triste.

1. (pleurer)

_____

_____

2. (n'avoir jamais d'argent)

_____

_____

3. (être toujours en retard)

_____

_____

EXERCICE 23

Exemple: Regarde [si] le facteur est passé.

1. Demande-lui _____
2. Savez-vous _____
3. Devine _____
4. Va voir _____
5. Dis-moi _____
6. Demandez-leur _____
7. Regardez _____
8. Sais-tu _____

E X E R C I C E 24

Est-ce que
tu dors?

Qu'est-ce que
tu vas dire?

Qu'est-ce qui
se passe?

Est-ce qu'elle
a fini?

Qu'est-ce qu'il
vient de faire?

Qu'est-ce qui
est dangereux?

Est-ce que
vous dansez?

Qu'est-ce qu'il
faut acheter?

Qu'est-ce qui
est difficile
à apprendre?

Exemples: *Elle me demande* $\boxed{si}$ *je dors.*

Elle me demande $\boxed{ce\ que}$ *je vais dire.*

Elle me demande $\boxed{ce\ qui}$ *se passe.*

1. _____

2. _____

3. _____

4. _____

5. _____

6. _____

E X E R C I C E 25

Exemples: Je me demande $\boxed{ce\ qu'}$ il m'arrive.
Qu'est-ce qu'il m'arrive?

Je me demande $\boxed{si}$ elle viendra bientôt nous voir.
Est-ce qu'elle viendra bientôt nous voir?

1. Vous vous demandez ce que vous pourrez apporter.

_____

2. Il se demande ce qui est important.

_____

3. Tu leur demandes s'il a fallu signer.

_____

4. Nous nous demandons ce qu'il fera.

_____

5. Elle nous demande si nous avons bien dormi.

_____

6. Ils leur demandent ce qu'ils veulent boire.

_____

EXERCICE 26

Exemples: Je ne connais pas la fille **que** *tu as rencontrée hier.*

Va à l'épicerie **qui** *est au coin de la rue.*

1. J'ai un frère **qui** _____

2. Tu lis le livre **que** _____

3. Nous avons visité la maison **qui** _____

4. Ils cherchent la clé **qu'** _____

5. Elle reçu un paquet **qui** _____

EXERCICE 27

Exemple: «Qui le chien a-t-il ___*mordu*___?»
(mordre)
Je me demande qui le chien a mordu.

1. «Est-ce que tu as _____ ce bruit?»
(entendre)

_____

2. «Comment est-elle _____ du toit?»
(descendre)

_____

3. «Pourquoi avez-vous _____?»
(mentir)

_____

4. «Quand ont-ils _____ de ses nouvelles?»
(recevoir)

_____

5. «Avez-vous _____ la bonne route?»
(suivre)

_____

6. «À qui as-tu _____ les clés?»
(rendre)

_____

7. «Est-ce que j'ai encore _____ mon chapeau?»
(perdre)

_____

8. «Qu'est-ce que vous avez _____?»
(boire)

_____

9. «À qui a-t-elle _____ son auto?»
(vendre)

_____

10. «Où ont-ils _____ mon adresse?»
(prendre)

_____

E X E R C I C E 28

Exemple: Demande-lui chez qui il habite.

« *Chez qui* *habites-tu?* »

– *J'habite chez mon oncle.*

1. Demandez-leur à quoi _____

_____

2. Demande-lui d'où _____

_____

3. Demande-leur pour qui _____

_____

4. Demandez-lui avec quoi _____

_____

5. Demandez-leur dans quoi _____

_____

6. Demandez-lui à qui _____

_____

7. Demande-lui avec qui _____

_____

8. Demande-leur d'où _____

_____

E X E R C I C E 29

Exemple: Je suis convaincu *d'avoir raison* .

J' *en* *suis convaincu.*

1. Tu es capable _____

_____

2. Il est sûr _____

_____

3. Elle est contente _____

_____

4. Vous êtes fiers _____

_____

EXERCICE 30

Exemple: *J'espère* **que ton père viendra te voir dimanche** .

Je **l'** espère.

1. _____

   Il le croit.

2. _____

   Tu le penses.

3. _____

   Je l'imagine.

4. _____

   Elle le dit.

5. _____

   Tu le supposes.

EXERCICE 31

Exemple: *Il espérait* **venir te voir dimanche** .

Il **l'** espérait.

1. _____

   Tu le souhaitais.

2. _____

   Elle le désirait.

3. _____

   Je le pensais.

4. _____

   Vous le vouliez.

5. _____

   Nous le pouvions.

EXERCICE 32

Exemple: *Il a oublié* **d'aller te voir dimanche** .

Il **l'** a oublié.

1. _____

   Nous l'avons promis.

2. _____

   Je l'ai accepté.

3. _____

   Elle l'a décidé.

4. _____

   Vous l'avez exigé.

Corrigé des exercices

Leçon 1

EXERCICE 1
1. Elle sert le café.
2. Elle rend son devoir.
3. Elle reçoit un cadeau.

EXERCICE 2
1. Non, je ne l'entends plus.
2. Non, je ne la reçois plus.
3. {Non, nous ne la vendons plus.
   {Non, je ne la vends plus.
4. {Non, nous ne l'attendons plus.
   {Non, je ne l'attends plus.
5. Non, il ne sort plus avec elle.

EXERCICE 3
1. {Non, nous allons les recevoir
   {Non, je vais les recevoir
2. {Non, vous allez la rendre
   {Non, nous allons la rendre
3. Non, il va descendre au village
4. {Non, nous allons le servir
   {Non, je vais le servir
5. {Non, tu vas les descendre
   {Non, vous allez les descendre

EXERCICE 4
1. ont rendu
2. a mordu
3. avons attendu
4. a menti
5. avez perdu
6. as reçu

EXERCICE 5
1. Oui, il les a mordus.
2. {Oui, nous les avons entendus.
   {Oui, je les ai entendus.
3. Oui, je l'ai sortie.
4. Oui, elles les a attendues.
5. {Oui, nous les avons descendues.
   {Oui, je les ai descendues.
6. {Oui, vous les avez reçus.
   {Oui, nous les avons reçus.

EXERCICE 6
1. Mon frère est plus beau que moi.
2. Mon frère est plus gros que moi.
3. Mon oncle est plus vieux que moi.
4. Ma jupe est moins longue que sa jupe.
5. Sa voiture est moins vieille que ma voiture.

EXERCICE 7
1. Ma fille est plus grande que mon fils.
2. Ma mère est plus jeune que ma tante.
3. Il est plus gros que sa sœur.
4. Nous sommes plus pauvres que nos voisins.
5. L'océan est plus froid que les lacs.

EXERCICE 8
1. Le poisson est meilleur que la viande.
2. Les fruits sont meilleurs que les bonbons.
3. Le lait est meilleur que la bière.

EXERCICE 9
1. Non, tu chantes plus mal que lui.
   Non, tu chantes moins mal que lui.
2. Non, elle travaille mieux que moi.
   Non, elle travaille moins bien que moi.
3. Non, il parle mieux que sa femme.
   Non, il parle moins bien que sa femme.
4. Non, je skie plus mal que toi.
   Non, je skie moins mal que toi.
5. Non, il joue du piano mieux qu'elle.
   Non, il joue du piano moins bien qu'elle.
6. Non, je danse plus mal que lui.
   Non, je danse moins mal que lui.

Leçon 2

EXERCICE 1

1. Il veut savoir combien d'amies il a.
2. Il veut savoir combien de chats elles ont.
3. Il veut savoir combien de parapluies ils ont.

EXERCICE 2

1. Pourquoi apprends-tu le français?
   Il ne comprend pas pourquoi tu apprends le français.
2. Pourquoi as-tu peur des chiens?
   Il ne comprend pas pourquoi tu as peur des chiens.
3. Pourquoi n'as-tu pas d'amis?
   Il ne comprend pas pourquoi tu n'as pas d'amis.

EXERCICE 3

1. Il se demande pourquoi il est puni.
2. Il se demande pourquoi elle reçoit des fleurs.
3. Il se demande pourquoi elle pleure.

EXERCICE 4

1. qui tu préfères
2. qui vous aimez
3. qui il va épouser
4. qui tu as vu

EXERCICE 5

1. Sais-tu comment on joue au tennis?
   On joue au tennis avec une raquette et des balles.
2. Sais-tu comment on peut aller au Japon?
   On peut aller au Japon en avion.
3. Sais-tu comment on fait les gâteaux?
   On fait les gâteaux avec de la farine et des œufs.

EXERCICE 6

1. Demande-leur quand elles sont allées au Mexique.
2. Demande-lui où il est tombé.
3. Demande-lui comment elle est entrée.
4. Demande-leur pourquoi elles sont restées à la maison.
5. Demande-leur où ils sont partis en vacances.

EXERCICE 7

1. Dis-moi pourquoi il pleure.
2. Dis-moi où vous allez.
3. Dis-moi comment il faut faire pour réussir.

Leçon 3

EXERCICE 1

1. { Non, nous n'avons vu personne.
     Non, je n'ai vu personne.
2. Non, il n'a invité personne.
3. Non, elle ne cherche personne.

EXERCICE 2

1. Non, personne ne m'a vu.
2. { Non, personne ne nous a dit de ne pas fumer.
     Non, personne ne m'a dit de ne pas fumer.
3. { Non, personne ne peut te répondre.
     Non, personne ne peut vous répondre.

EXERCICE 3

1. Non, je n'ai rien acheté.
2. Non, ils n'ont rien vu.
3. Non, il ne m'a rien dit.

EXERCICE 4

1. Non, ils n'ont rien préparé.
2. Non, il n'a rien mangé.
3. Non, elle n'a rien vendu.

EXERCICE 5

1. toutes
2. tous
3. tout
4. toutes
5. tous
6. toute
7. tous
8. tout

EXERCICE 6

1. Oui, il y en a plusieurs.
2. Oui, j'en ai invité plusieurs.
3. Oui, il y en a plusieurs.
4. Oui, ils en ont plusieurs.
5. { Oui, nous en avons fait plusieurs.
     Oui, j'en ai fait plusieurs.

EXERCICE 7

1. Oui, il en a lavé quelques-unes.
2. Oui, elle en a raconté quelques-unes.
3. Oui, il en a bu quelques-uns.

EXERCICE 8

1. Non, seulement quelques-unes sont ouvertes.
2. Non, seulement quelques-unes sont mariées.
3. Non, seulement quelques-uns sont méchants.

EXERCICE 1

1. Chez qui va-t-elle?
2. À qui écrit-il?
3. Avec qui danse-t-elle?
4. Dans quoi jette-t-il les papiers?
5. De quoi a-t-il besoin?

EXERCICE 2

1. Dis-moi avec quoi on coupe le bois.
   On coupe le bois avec une hache.
2. Dis-moi avec quoi on lave le chien.
   On lave le chien avec une brosse.
3. Dis-moi avec quoi on fait les gâteaux.
   On fait les gâteaux avec des œufs.
4. Dis-moi avec quoi on mange la viande.
   On mange la viande avec une fourchette.
5. Dis-moi avec quoi on écrit son nom.
   On écrit son nom avec un crayon.
6. Dis-moi avec quoi on fait le ménage.
   On fait le ménage avec un balai.
7. Dis-moi avec quoi on répare les meubles.
   On répare les meubles avec un marteau.
8. Dis-moi avec quoi on fait de la peinture.
   On fait de la peinture avec un pinceau.
9. Dis-moi avec quoi on mange la soupe.
   On mange la soupe avec une cuillère.
10. Dis-moi avec quoi on lit le journal.
    On lit le journal avec des lunettes.
11. Dis-moi avec quoi on coupe le poulet.
    On coupe le poulet avec un couteau.

EXERCICE 3

1. Demande-lui avec qui il/elle va au cinéma.
   Avec qui vas-tu au cinéma?
2. Demande-lui à côté de qui elle est assise.
   À côté de qui es-tu assise?
3. Demande-lui de quoi il/elle parle.
   De quoi parles-tu?
4. Demande-lui dans quoi il/elle a mis l'argent.
   Dans quoi as-tu mis l'argent?
5. Demande-lui d'où il/elle vient.
   D'où viens-tu?
6. Demande-lui pour qui il/elle travaille.
   Pour qui travailles-tu?
7. Demande-lui à qui il/elle téléphone.
   À qui téléphones-tu?
8. Demande-lui chez qui il/elle habite.
   Chez qui habites-tu?

EXERCICE 1

1. Il est en train de dormir.
2. Ils sont en train d'attendre l'autobus.
3. Elle est en train de jouer de la guitare.
4. Elle est en train de laver le linge.
5. Ils sont en train de manger la soupe.

EXERCICE 2

1. est en train de faire
2. es en train d'étudier
3. sont en train de préparer
4. sont en train d'écouter
5. sommes en train de faire
6. est en train de fumer
7. êtes en train de jouer
8. suis en train de prendre

EXERCICE 3

1. { Non, nous sommes en train de le boire.
   { Non, je suis en train de le boire.
2. Non, il est en train de lui téléphoner.
3. Non, je suis en train de les apprendre.
4. { Non, nous sommes en train de la ranger.
   { Non, je suis en train de la ranger.
5. Non, ils sont en train de le finir.
6. Non, elle est en train de la prendre.

EXERCICE 4

1. Ne faites pas de bruit parce qu'elle est en train de travailler.
2. Demande-lui à qui il est en train de téléphoner.
3. Je ne sais pas pourquoi ils sont en train de rire.

EXERCICE 5

1. Non, elle est en train d'étudier.
2. Non, il est en train de garder les enfants.
3. Non, elles sont en train de réparer la télévision.
4. Non, elle est en train d'écouter des disques.
5. Non, ils sont en train de cuisiner.

Leçon 6

1. Elle vient de se faire réveiller.
2. Elle vient de perdre connaissance.
3. Ils viennent de se marier.
4. Elle vient de se faire frapper par une voiture.
5. Elle vient de recevoir une balle dans l'œil.

EXERCICE 2

1. Il y a longtemps que
   Non, il vient juste de le mordre.
2. Il y a longtemps que
   Non, je viens juste de le rendre.
3. Il y a longtemps que
   Non, nous venons juste de partir.
4. Il y a longtemps qu'
   Non, ils viennent juste de la vendre.
5. Il y a longtemps qu'
   Non, elle vient juste de la recevoir.
6. Il y a longtemps que
   Non, je viens juste de le mettre.

EXERCICE 3

1. qu'elle vient juste de manger
2. qu'il vient juste de partir
3. que je viens juste d'arriver
4. qu'il vient juste de pleuvoir

EXERCICE 4

1. va
2. vient de
3. venez de
4. va
5. viens de
6. viennent de

Leçon 7

EXERCICE 1

1. Qu'est-ce que vous cherchez?
   Il leur demande ce qu'ils cherchent.
2. Qu'est-ce que tu lis?
   Il lui demande ce qu'il lit.
3. Qu'est-ce que vous désirez?
   Elle leur demande ce qu'elles désirent.
4. Qu'est-ce que tu regardes?
   Il lui demande ce qu'il regarde.
5. Qu'est-ce que vous prenez?
   Il lui demande ce qu'il prend.

EXERCICE 2

1. Je te demande ce que tu as écrit sur cette feuille.
2. Je te demande ce qu'il a acheté à sa femme.
3. Je te demande ce qu'elle a dit aux enfants.

EXERCICE 3

1. { Faites ce que vous voulez.
   { Faisons ce que nous voulons.
2. { Mange ce que tu veux.
   { Mangez ce que vous voulez.
3. { Apportez ce que vous voulez.
   { Apportons ce que nous voulons.

EXERCICE 4

1. Est-ce que tu aimes jouer au tennis?
2. Est-ce que vous voulez manger quelque chose?
3. Qu'est-ce que vous voulez manger?
4. Est-ce que tu vas partir en vacances bientôt?
5. Qu'est-ce que tu vas faire en vacances?
6. Qu'est-ce que vous avez fait dimanche?

EXERCICE 5

1. Il lui demande si elle vient souvent ici.
2. Il lui demande si elle aime le chant des oiseaux.
3. Il lui demande s'ils peuvent se revoir.

EXERCICE 6

1. Dis-moi si tu m'aimes.
2. Dis-moi si tu vas revenir bientôt.
3. Dis-moi si je peux t'écrire.

Leçon 8

EXERCICE 1

1. Il fera de la peinture.
2. Elle fera le ménage.
3. Tu feras du feu.
4. Elle fera la cuisine.
5. Il fera la vaisselle.
6. Je ferai de la couture.
7. Nous ferons du café.
8. Il fera du bricolage.

EXERCICE 2

1. Quand je serai grand, je me marierai et j'aurai des enfants.
2. Quand je serai grand, je ferai des voyages.
3. Quand je serai grand, je n'irai plus à l'école.
4. ⎰ Quand nous serons grandes, nous serons pilotes.
   ⎱ Quand nous serons grandes, nous aurons un avion.
5. ⎰ Quand nous serons grands, nous serons riches.
   ⎨ Quand nous serons grands, nous aurons beaucoup
   ⎩ d'argent.

EXERCICE 3

1. irai à
2. reviendrons au
3. irez aux
4. reviendrez au
5. iras à/au
6. reviendras dans
7. ira en
8. reviendront en
9. iront dans

EXERCICE 4

1. irez
   ⎰ Je ne sais pas si nous irons en vacances cet été.
   ⎱ Je ne sais pas si j'irai en vacances cet été.
2. viendront
   Je ne sais pas s'ils viendront à la fête ce soir.
3. auras
   Je ne sais pas si j'aurai l'argent la semaine prochaine.
4. ferons
   ⎰ Je ne sais pas si vous ferez du ski en fin de
   ⎪ semaine.
   ⎨ Je ne sais pas si nous ferons du ski en fin de
   ⎩ semaine.

EXERCICE 5

1. voudront
2. saura
3. sauront
4. voudra
5. sauras

EXERCICE 6

1. Elle est en train de lire, elle lira encore dans une heure.
2. Il est en train de manger, il mangera encore dans une heure.
3. Elles sont en train de parler au téléphone, elles parleront encore dans une heure.
4. Elle est en train de jardiner, elle jardinera encore dans une heure.
5. Il est en train d'écrire, il écrira encore dans une heure.

EXERCICE 7

1. Non, je ne le laverai pas.
2. ⎰ Non, nous ne le servirons pas.
   ⎱ Non, je ne le servirai pas.
3. ⎰ Non, vous ne lui écrirez pas.
   ⎱ Non, nous ne lui écrirons pas.
4. Non, ils ne le prendront pas.
5. Non, elle ne le recommencera pas.
6. Non, je ne dormirai pas dans le train.
7. Non, elles ne l'entendront pas.
8. Non, il ne le mettra pas.
9. ⎰ Non, tu ne grossiras pas.
   ⎱ Non, vous ne grossirez pas.
10. Non, je n'en boirai pas.

EXERCICE 8

1. laveront
2. finirez
3. écouterons
4. garderai
5. liront
6. mettras
7. coupera
8. boirez
9. préparera
10. parlera
11. regarderas
12. apprendrons

EXERCICE 9

1. je jouerai au tennis
   je ferai de la bicyclette
   je ferai du bateau
2. j'irai à la chasse
   j'irai ramasser des pommes
3. je ferai de la raquette
   je ferai du ski, je skierai
   je ferai du patin, je patinerai

EXERCICE 10

1. Non, je ne l'ai pas encore lue, je la lirai plus tard.
2. Non, il ne lui a pas encore parlé, il lui parlera plus tard.
3. Non, ils ne l'ont pas encore vendu, ils le vendront plus tard.
4. ⎰ Non, nous ne les avons pas encore écoutés, nous
   ⎪ les écouterons plus tard.
   ⎨ Non, je ne les ai pas encore écoutés, je les
   ⎩ écouterai plus tard.
5. Non, elle ne les a pas encore punis, elle les punira plus tard.
6. Non, je ne l'ai pas encore prise, je la prendrai plus tard.
7. Non, il ne l'a pas encore bu, il le boira plus tard.
8. Non, ils ne lui ont pas encore écrit, ils lui écriront plus tard.

EXERCICE 11

1. Non, je n'écrirai à personne.
2. Non, je ne dirai rien.
3. Non, je n'achèterai rien.
4. ⎰ Non, nous n'apporterons rien.
   ⎱ Non, je n'apporterai rien.

Leçon 9

EXERCICE 1

1. c'est... Hier, c'était dimanche.
2. ce sera... Hier, c'était mardi.
3. c'est... Hier, c'était samedi.
4. ce sera... Hier, c'était lundi.
5. c'est... Hier, c'était jeudi.
6. ce sera... Hier, c'était jeudi.

EXERCICE 2

1. Où était-elle hier, à midi?
   Hier, à midi, elle était
2. Où étiez-vous hier, à midi?
   {Hier, à midi, nous étions
   {Hier, à midi, j'étais
3. Où étaient-ils hier, à midi?
   Hier, à midi, ils étaient
4. Où étions-nous hier, à midi?
   {Hier, à midi, vous étiez
   {Hier, à midi, nous étions
5. Où étaient-elles hier, à midi?
   Hier, à midi, elles étaient
6. Où était-il hier, à midi?
   Hier, à midi, il était
7. Où étais-tu hier, à midi?
   Hier, à midi, j'étais

EXERCICE 3

1. Tu es allé/allée chez le médecin parce que tu avais mal à la jambe.
2. Vous êtes allé(s)/allée(s) chez le médecin parce que vous aviez mal à l'œil/aux yeux.
3. Ils sont allés chez le médecin parce qu'ils avaient mal à l'oreille/aux oreilles.
4. Nous sommes allés/allées chez le médecin parce que nous avions mal au cœur.
5. Elles sont allées chez le médecin parce qu'elles avaient mal au dos.
6. Je suis allé/allée chez le médecin parce que j'avais mal à la gorge.

EXERCICE 4

1. J'avais sommeil.
   Elle s'est couchée parce qu'elle avait sommeil.
2. J'avais soif.
   Il a bu parce qu'il avait soif.
3. J'avais froid.
   Elle a mis un manteau parce qu'elle avait froid.

EXERCICE 5

1. Pourquoi est-ce que tu n'as pas bu ton café?
   Je n'ai pas bu mon café parce qu'il était trop chaud.
2. Pourquoi est-ce qu'il n'est pas parti en vacances?
   Il n'est pas parti en vacances parce qu'il était trop occupé.
3. Pourquoi est-ce que vous n'avez pas acheté ce manteau?
   {Nous n'avons pas acheté ce manteau parce qu'il était trop cher.
   {Je n'ai pas acheté ce manteau parce qu'il était trop cher.
4. Pourquoi est-ce qu'on n'a pas vu ce film?
   On n'a pas vu ce film parce qu'il était trop triste.
5. Pourquoi est-ce qu'elle n'a pas mangé sa viande?
   Elle n'a pas mangé sa viande parce qu'elle était trop dure.
6. Pourquoi est-ce qu'il n'a pas mis ces souliers?
   Il n'a pas mis ces souliers parce qu'ils étaient trop petits.
7. Pourquoi est-ce que tu ne lui a pas prêté ton auto?
   Je ne lui ai pas prêté mon auto parce qu'il/elle était trop jeune.
8. Pourquoi est-ce qu'ils n'ont pas fait de ski?
   Ils n'ont pas fait de ski parce qu'ils étaient trop fatigués.

Leçon 10

EXERCICE 1

1. {Si nous la dérangeons,...
   {Si on la dérange,...
2. Si je sors cet été,...
3. Si je me dépêche,...
4. Si je cherche bien,...
5. Si vous m'aimez,...

EXERCICE 2

1. Si j'ai le temps, j'irai à l'épicerie.
2. S'il fait froid, tu allumeras un feu.
3. Si tu es sage, tu auras un beau cadeau.
4. S'il fait beau, nous irons à la plage.
5. Si vous buvez trop, vous serez malade(s).
6. S'il pleut, nous jouerons aux cartes.
7. S'il neige, nous partirons faire du ski.
8. Si nous arrivons en retard, nous manquerons l'avion.

EXERCICE 3

1. Mais, demain, s'ils ne sont pas punis, ils la regarderont.
2. Mais, cet après-midi, s'il n'est pas malade, il ira à l'école.
3. Mais, demain, s'il fait froid, nous en mettrons un.
4. Mais, le mois prochain, si tu n'en manges pas trop, tu maigriras.
5. Mais, l'été prochain, s'ils ont de l'argent, ils partiront.
6. Mais, demain, s'ils ne sont pas trop chers, nous en achèterons.

Leçon 11

EXERCICE 1

1. Il faut s'habiller.
1. Il faut boire.
1. Il faut aller se coucher.
1. Il faut se dépêcher.
1. Il faut se mettre à l'ombre.

EXERCICE 2

1. Il faut
2. Il a fallu
3. { Il faudra
   { Il va falloir
4. Il faut
5. { Il faudra
   { Il va falloir
6. Il a fallu

EXERCICE 3

1. Qu'est-ce qu'il faudra faire
   S'il ne téléphone pas, il faudra lui écrire.
2. Qu'est-ce qu'il faudra faire
   Si les restaurants sont fermés, il faudra manger à la maison.
3. Qu'est-ce qu'il faudra faire
   Si on n'a plus d'argent, il faudra chercher du travail.
4. Qu'est-ce qu'il faudra faire
   S'il y a une tempête de neige, il faudra fermer les écoles.
5. Qu'est-ce qu'il faudra faire
   S'il n'y a plus de métro, il faudra prendre un taxi.
6. Qu'est-ce qu'il faudra faire
   { Si tu es encore malade demain,
   { Si vous êtes encore malade demain, il faudra aller
   { à l'hôpital.

EXERCICE 4

1. pleurer
2. se baigner
3. patiner
4. traverser
5. fumer
6. boire
7. signer
8. courir

Leçon 12

EXERCICE 1

1. Lavez-vous les mains.
   Elle leur demande de se laver les mains.
2. Ferme/Fermez la porte.
   Il lui demande de fermer la porte.
3. Signe. Signez.
   Il lui demande de signer.
4. Rends-moi ton devoir. Rendez-moi votre devoir.
   Il/Elle lui demande de lui rendre son devoir.
5. Ne pars pas.
   Elle lui demande de ne pas partir.

EXERCICE 2

1. Elle dit qu'elle a décidé de partir à la campagne.
2. Ils disent qu'ils ont fini leurs études.
3. Je dis que j'ai oublié d'acheter du café.
4. Il dit qu'il a emprunté de l'argent à son frère.
5. Ils disent qu'ils ne font plus de bateau.
6. Je dis que j'ai accepté de le rencontrer ce soir.

EXERCICE 3

1. Oui, il a appris à en faire.
2. Oui, ils ont cherché à te voir.
3. Oui, elle a hésité à l'acheter.
4. { Oui, nous avons commencé à l'étudier.
   { Oui, j'ai commencé à l'étudier.
5. Oui, j'ai réussi à lui téléphoner.
6. { Oui, nous avons pensé à les inviter.
   { Oui, j'ai pensé à les inviter.
7. Oui, elles ont demandé à le rencontrer.

EXERCICE 4

1. J'apprends à nager.
2. J'ai décidé d'entrer dans l'armée.
3. Il m'aide à porter mes paquets.
4. Je commence à marcher.
5. Je finis de me maquiller.

EXERCICE 5

1. Elle m'a demandé de l'argent pour s'acheter une bicyclette.
2. Nous partons à la campagne pour nous reposer.
3. Il m'a téléphoné pour m'inviter au théâtre.
4. Ils font du sport pour maigrir.
5. Je travaille fort pour réussir.

EXERCICE 6

1. Elle lit son journal avant de déjeuner.
2. Tu vas dormir un peu avant de travailler.
3. Il a pris un bain avant de se coucher.
4. Vous allez lui écrire avant de lui envoyer son cadeau.
5. Ils ont acheté leur billet avant d'entrer.

Leçon 13

EXERCICE 1

1. Il faut que tu enlèves tes bottes avant d'entrer.
2. Il faut que nous gagnions la bataille.
3. Il faut que nous rentrions à la maison.

EXERCICE 2

1. Oui, il faut que tu la ranges tout de suite.
2. { Oui, il faut que nous nous couchions tôt.
   { Oui, il faut que je me couche tôt.
3. Oui, il faut qu'on en mange.
4. { Oui, il faut que vous les gardiez ce soir.
   { Oui, il faut que nous les gardions ce soir.
5. { Oui, il faut que tu le prépares.
   { Oui, il faut que vous le prépariez.
6. Oui, il faut qu'ils se dépêchent.

EXERCICE 3

1. Il faut qu'elle soit
2. Il faut que vous soyez
3. Il faut que nous soyons
4. Il faut qu'ils soient
5. Il faut que je sois
6. Il faut qu'on soit
7. Il faut qu'elles soient
8. Il faut qu'il soit

EXERCICE 4

1. dois
   Il faut que j'aie du temps pour me reposer.
2. doit
   Il faut qu'il ait de la chance pour gagner le concours.
3. devez
   Il faut que vous ayez une voiture pour faire ce travail.
4. doivent
   Il faut qu'elles aient de la patience pour garder ces enfants.
5. devons
   Il faut que nous ayons de l'argent pour acheter ce bateau.

EXERCICE 5

1. Je ne veux pas que tu fasses des bêtises.
2. Je ne veux pas que vous soyez en retard.
3. Je ne veux pas que tu aies de mauvaises notes.
4. Je ne veux pas que vous alliez chez lui.
5. Je ne veux pas que vous fassiez des dépenses inutiles.
6. Je ne veux pas que tu sois fâché.

EXERCICE 6

1. Il ne faudra pas que vous soyez tristes.
2. Il ne faudra pas que nous fassions du bruit.
3. Il ne faudra pas que tu ailles la voir.
4. Il ne faudra pas que j'aie du retard.
5. Il ne faudra pas qu'ils sachent la vérité.
6. Il ne faudra pas qu'il fasse du sport pendant un mois.

EXERCICE 7

1. Oui, il faudra qu'elle les fasse la veille du départ.
2. Oui, il faut que j'y aille.
3. Oui, il a fallu qu'il en ait un.
4. { Oui, il faudra que vous la sachiez.
   { Oui, il faudra que nous la sachions.
5. Oui, il faut que j'y sois.
6. Oui, il a fallu qu'ils le fassent dans toute la maison.
7. { Oui, il faut que tu la saches.
   { Oui, il faut que vous la sachiez.
8. Oui, il faudra que nous en ayons une.

Leçon 14

EXERCICE 1

1. Il gagne plus d'argent que moi.
   Je gagne moins d'argent que lui.
2. Vous avez acheté plus de disques que lui.
   Il a acheté moins de disques que vous.
3. Pierre a moins de filles que Paul.
   Paul a plus de filles que Pierre.
4. Nous gardons moins d'enfants que Marie.
   Marie garde plus d'enfants que nous.
5. Il a moins d'amies que moi.
   J'ai plus d'amies que lui.
6. J'ai vendu moins de billets que toi.
   Tu as vendu plus de billets que moi.

EXERCICE 2

1. Non, elle travaille plus que sa sœur.
   Non, elle travaille moins que sa sœur.
2. Non, tu fumes moins que lui.
   Non, tu fumes autant que lui.
3. Non, ils boivent plus que leur père.
   Non, ils boivent moins que leur père.
4. Non, je lis moins que Pierre.
   Non, je lis autant que Pierre.

EXERCICE 3

1. Elle a plus de valises que lui.
   Il a moins de valises qu'elle.
2. Elle s'amuse plus qu'eux.
   Ils s'amusent moins qu'elle.
3. Il y a plus de garçons que de filles.
   Il y a moins de filles que de garçons.

EXERCICE 4

1. Savez-vous qu'ils se disputent autant que nous?
2. Penses-tu que je fais plus de bruit que les enfants?
3. J'espère que tu auras moins de problèmes que moi.

Leçon 15

EXERCICE 1

1. Ce spectacle est beau à voir.
2. Cette valise est lourde à porter.
3. Ces fruit sont bons à manger.
4. Cette musique est agréable à entendre.
5. Ces meubles sont faciles à assembler.
6. Cette histoire est difficile à croire.
7. Ces détails sont utiles à connaître.
8. Cette adresse est impossible à trouver.

EXERCICE 2

1. Tu es content/contente d'apprendre cette bonne nouvelle.
2. Elle est heureuse de se marier.
3. Je suis impatient(e) de te revoir.
4. Nous sommes désolés/désolées de ne pas pouvoir venir.
5. Ils sont fatigués de marcher.
6. Il est gentil de nous aider.
7. Vous êtes surpris/surprise(s) de la trouver ici.
8. Elles sont enchantées de travailler pour toi.

EXERCICE 3

1. J'ai des livres à lire.
2. J'ai du linge à laver.
3. J'ai du linge à repasser.

EXERCICE 4

1. J'ai un travail à terminer.
2. Il a une histoire à raconter.
3. Nous avons de l'argent à dépenser.
4. Elle a une décision à prendre.
5. Nous avons un gâteau à acheter.
6. Vous avez de la bière à boire.
7. Il a du bois à couper.
8. Tu as des chèques à signer.
9. Ils ont un cadeau à offrir.
10. Nous avons une auto à vendre.

EXERCICE 5

1. Ce travail est impossible à terminer.
2. Ce livre est important à lire.
3. Cette voiture est dangereuse à conduire.
4. Cette langue est difficile à apprendre.
5. Cette route est longue à faire.
6. Ce spectacle est drôle à voir.

EXERCICE 6

1. Vous avez des courses à faire.
2. Ils ont eu une décision à prendre.
3. Elle aura du lait à acheter.
4. Tu as eu beaucoup de linge à laver.
5. J'ai des médicaments à prendre.
6. Il aura un appartement à trouver.
7. J'ai eu trois lettres à écrire.
8. Elles auront deux autobus à prendre.

Leçon 16

EXERCICE 1

1. Il faut que je choisisse.
   Il faut qu'il choisisse
2. Il faut que je maigrisse.
   Il faut qu'il maigrisse.
3. Il faut que je redescende.
   Il faut qu'il redescende.

EXERCICE 2

1. Oui, il faut qu'il le finisse ce soir.
2. Oui, il faut que je la vende.
3. { Oui, il faut que vous les punissiez.
   { Oui, il faut que nous les punissions.
4. Oui, il faut qu'ils la suivent.
5. { Oui, il faut que nous les rendions demain.
   { Oui, il faut que je les rende demain.
6. Oui, il faut qu'elle l'attende.

EXERCICE 3

1. avons dû
   Il a fallu que nous leur apprenions la nouvelle.
2. as dû
   Il a fallu que tu partes avant la fin du spectacle.
3. a dû
   Il a fallu qu'il attende une heure à la porte.
4. avez dû
   Il a fallu que vous mettiez un manteau.
5. a dû
   Il a fallu qu'elle lui dise au revoir.

EXERCICE 4

1. Il ne faut pas que tu boives de vin.
2. Il ne faut pas que je grossisse.
3. Il ne faut pas qu'elle lise sans lunettes.
4. Il ne faut pas qu'ils viennent avec nous.

EXERCICE 5

1. Je veux que tu mettes tes souliers noirs.
2. Je veux que vous sortiez de la cuisine immédiatement.
3. Je veux que nous finissions le ménage maintenant.
4. Je veux que tu lui expliques la situation.
5. Je veux que vous me disiez ce que vous savez.
6. Je veux que tu prennes ton médicament.
7. Je veux que tu boives ton café tout de suite.

EXERCICE 6

1. Qu'est-ce que tu devras faire pour maigrir?
   Il faudra que je suive un régime.
2. Qu'est-ce qu'ils devront faire pour être à l'heure?
   Il faudra qu'ils courent.
3. Qu'est-ce que nous devrons faire pour avoir de l'argent?
   { Il faudra que vous vendiez la maison.
   { Il faudra que nous vendions la maison.
4. Qu'est-ce qu'on devra faire pour avoir un rendez-vous?
   Il faudra qu'on écrive au secrétariat.
5. Qu'est-ce qu'ils devront faire pour parler français?
   Il faudra qu'ils prennent des cours.

EXERCICE 7

1. Je ne veux pas que tu partes.
2. Je ne veux pas qu'il me morde.
3. Ils ne veulent pas que je sorte.

EXERCICE 8

1. Elle ne veut pas que tu mettes
2. Vous ne voulez pas qu'elle écrive
3. Il ne veut pas que nous buvions
4. Elles ne veulent pas que je vende
5. Nous ne voulons pas que vous punissiez
6. Je ne veux pas que tu ouvres
7. Ils ne veulent pas que nous sortions
8. Tu ne veux pas que je parte

Leçon 17

EXERCICE 1

1. Ils faisaient la cuisine./Ils cuisinaient.
2. Il faisait ses devoirs./Il étudiait.
3. Il dormait
4. Il donnait son cours./Il enseignait.
5. Il buvait de la bière.
6. Il faisait de la bicyclette.
7. Ils lisaient le journal.
8. Il enlevait la neige./Il pelletait la neige.

EXERCICE 2

1. gardais
   Oui, hier à six heures, je gardais les enfants.
2. vous promeniez
   { Oui, hier à dix heures, nous nous promenions.
   { Oui, hier à dix heures, je me promenais.
3. faisais le ménage
   Oui, hier à huit heures, je faisais le ménage.
4. travaillaient
   Oui, hier à une heure, ils travaillaient.
5. dansiez
   { Oui, hier à minuit, nous dansions.
   { Oui, hier à minuit, je dansais.
6. préparais
   Oui, hier à midi, je préparais le repas.

EXERCICE 3

1. sont revenus... pleuvait
2. est entrée... s'habillait
3. sommes arrivé(e)s... allait
4. ai rencontré... partaient
5. as vu... promenait
6. avez pris... faisait
7. s'est terminé... dormaient
8. est parti... prenions

EXERCICE 4

1. il travaillait
2. nous vendions
3. elle rêvait
4. on buvait
5. vous jouiez
6. ils parlaient
7. j'aimais
8. elle voulait

EXERCICE 5

1. pleuvait
2. suis arrivé
3. jouaient
4. faisait
5. courait
6. Il y avait
7. avaient
8. ai fait
9. ai préparé
10. avons mangé
11. ai lavé
12. est rentrée
13. dormaient
14. regardaient
15. me reposais
16. lisais

Leçon 18

EXERCICE 1

1. Il y a... qui est devant la banque
2. Il y a... qui est sur l'arbre
3. Il y a... qui est sous la voiture
4. Il y a... qui est devant le restaurant
5. { Il y a... qui est à côté de la banque
   { Il y a... qui est entre la banque et le garage

EXERCICE 2

1. Prenez l'argent qui est dans son sac.
2. Appelez le policier qui est devant la banque.
3. Prenez l'argent qu'il a mis dans son sac.
4. Appelez le policier que vous voyez devant la banque.

EXERCICE 3

1. que   2. qui   3. qui   4. qu'

EXERCICE 4

1. J'ai corrigé les devoirs que vous m'avez rendus.
2. Nous irons visiter le chalet qu'il a construit à la montagne.
3. J'ai envie d'écouter les disques qu'elle a apportés.
4. Je veux voir la voiture que vous avez louée.
5. Elle chantera ce soir les chansons que nous avons composées.
6. Tu vas finir le dessin que tu as commencé.
7. Je n'aime pas les biscuits qu'elle a faits.
8. Il donnera à sa mère la photo qu'il a prise.
9. J'ai oublié au restaurant le livre que j'ai acheté.
10. Tu as prêté à Gilles le parapluie que tu as trouvé.

EXERCICE 5

1. Il présente à sa mère les invités qui viennent d'arriver.
2. Nous avons visité la maison qui était à vendre.
3. J'ai vu le voleur qui est entré dans la banque.
4. Vous avez parlé au professeur qui a corrigé mes devoirs.
5. Ils ont acheté le bateau qui leur plaisait.

EXERCICE 6

1. que	3. qui	5. que	7. que	9. qui
2. qui	4. que	6. que	8. qu'	10. qui

EXERCICE 7

1. que	3. que	5. qui	7. que	9. qui
2. qui	4. qui	6. que	8. qui	10. que

Leçon 19

EXERCICE 1

1. Je ne sais pas ce que tu vends.
2. Je ne sais pas ce qui est interdit.
3. Je ne sais pas ce que vous mangez.
4. Je ne sais pas ce que tu viens de dire.
5. Je ne sais pas ce qui ne va pas.
6. Je ne sais pas ce que je peux lui acheter.
7. Je ne sais pas ce qu'ils espèrent.
8. Je ne sais pas ce que tu fais.
9. Je ne sais pas ce que vous voulez.
10. Je ne sais pas ce qui est très important.

EXERCICE 2

1. Il se demande ce qui se passe.
2. Il se demande ce qu'il va jouer.
3. Elle se demande ce qu'elle va mettre.
4. Elle se demande ce qu'elle fait là.
5. Elle se demande ce qui lui est arrivé.

EXERCICE 3

1. Est-ce que vous savez ce qu'il a fait?
2. Est-ce que tu sais ce qu'ils ont décidé?
3. Est-ce que vous savez ce qui fait ce bruit?
4. Est-ce que tu sais ce que nous pouvons boire?
5. Est-ce qu'il sait ce qui ne va pas?
6. Est-ce que vous savez ce que nous pourrons lui offrir?
7. Est-ce que tu sais ce qui est tombé sous la table?
8. Est-ce que tu sais ce qui est caché derrière mon dos?

EXERCICE 4

1. ce qu'	5. ce qui
2. ce qui	6. ce qui
3. ce que	7. ce qu'
4. ce que	8. ce qui

EXERCICE 5

1. Savez-vous ce qu'elle lui offre?
   Elle lui offre un cadeau.
2. Savez-vous ce qu'il lui chante?
   Il lui chante des poèmes.
3. Savez-vous ce qu'il lui demande?
   Il lui demande son chemin.

EXERCICE 6

1. Elle n'a pas acheté ce que je voulais.
2. Ils n'ont pas trouvé ce qu'ils cherchaient.
3. Nous avons lu ce qui était au programme.
4. Elle a réparé ce qui était cassé.
5. Tu as choisi ce qui était gratuit.

Leçon 20

EXERCICE 1

1. Oui, je l'imagine.
2. Oui, je le dis.
3. Oui, je le pense.
4. Oui, je l'espère.
5. Oui, je l'ai décidé.

EXERCICE 2

1. { Oui, nous le savons.
   { Oui, je le sais.
2. Oui, je l'espère.
3. { Oui, nous l'avons appris.
   { Oui, je l'ai appris.
4. Oui, elle le croit.
5. Oui, je le pense.

EXERCICE 3

1. Oui, je le souhaite.
2. { Oui, nous l'acceptons.
   { Oui, je l'accepte.
3. Oui, ils l'exigent.
4. Oui, je le veux.
5. { Oui, vous le pouvez.
   { Oui, tu le peux.

EXERCICE 4

1. Il a promis de téléphoner.
2. Nous espérons qu'elle ne sera pas malade.
3. J'imagine que les cours finiront en décembre.
4. Je veux apprendre à nager.
5. Tu crois que nous irons à Paris.

EXERCICE 5

1. Penses-y!
2. N'y pense pas!
3. Pensez-y!
4. N'y pensez pas!

EXERCICE 7

1. Ils en ont l'air.
2. Je n'en suis plus capable.
3. J'en suis fier.
4. J'en suis très heureux.
5. J'en ai l'habitude.
6. J'en suis certain.
7. J'en suis sûre.

EXERCICE 6

1. Oui, j'en ai envie.
2. { Oui, nous en avons l'habitude.
   { Oui, j'en ai l'habitude.
3. Oui, je m'en souviens.
4. { Oui, tu en as l'air.
   { Oui, vous en avez l'air.
5. Oui, je m'en doutais.
6. Oui, nous en sommes certaines.

Lexique

VERBES

accepter de   62, 109
aider à   62
apprendre (à)   62, 107
arrêter de   62
avoir besoin de   111
avoir l'air de   111
avoir l'habitude de   111
chercher à   62
commencer à   62
comprendre   10
croire   107
décider de   62, 109
demander à   34, 62
demander (se)   10, 101
désirer   109
dire   10, 107
douter   111
entendre   1
espérer   107
essayer de   62
être en train de   25
exiger   109
falloir   58, 68, 84
finir de   62
imaginer   107
mentir   1
mordre   1
oublier de   62
penser (à)   62, 107, 110
pouvoir   1, 39, 109
promettre   109
proposer de   62
recevoir   1, 2
rendre   1, 2
réussir à   62
savoir   1, 10, 39, 70, 101, 107
servir   1, 2
se souvenir de   111
souhaiter   109
supposer   107
venir de   30
vouloir   1, 39, 68, 84, 109

ADJECTIFS

agréable   78, 79
bon/bonne   78
capable   111
certain/certaine   78, 111
commode   79
compliqué/compliquée   79
content/contente   78, 111
convaincu/convaincue   111
dangereux/dangereuse   78
défendu/défendue   78
désolé/désolée   78
difficile   78, 79
drôle   78, 79
enchanté/enchantée   78
ennuyé/ennuyée   78
étonné/étonnée   78
facile   78, 79
fatigué/fatiguée   78
fier/fière   111
gêné/gênée   78
gentil/gentille   78
heureux/heureuse   78
impatient/impatiente   78
important/importante   78, 79
impossible   78, 79
intéressant/intéressante   78, 79
inutile   78
long/longue   79
mauvais/mauvaise   5
meilleur/meilleure   5
nécessaire   78
pire   5
pratique   78
sûr/sûre   111
surpris/surprise   78
triste   78
urgent/urgente   79
utile   79

ÉLÉMENTS GRAMMATICAUX

à   62, 79
à côté de   20
aussi... que   5
autant (de)... que (de)   74
avant de   62
avec   20
bien   8
chez   20
ce qu'   34, 101
ce que   34, 101
ce qui   101
combien   10
comment   10
dans   20
de   20, 62, 78
derrière   20
devant   20
en   107, 111
l'   107, 109
le   107, 109
mal   8
mieux   8
moins (de)... que (de)   5, 74
où   10, 20
personne   15
plus (de)... que (de)   5, 74
plusieurs   15
pour   20, 62
pourquoi   10
quand   10
qu'   96
que   96
quel(le)   10
quelque chose   15
quelques-unes   15
quelques-uns   15
quelqu'un   15
qui   10, 20, 96
quoi   20
rien   15
s'   34, 54
si   34, 54
tous   15
tout   15
toute   15
toutes   15
y   110

Table des matières

ACHEVÉ D'IMPRIMER
EN L'AN DEUX
MILLE
DEUX
SUR LES
PRESSES DES
ATELIERS GUÉRIN
MONTRÉAL (QUÉBEC)